家庭内事故死を防ぐ

図解でわかる 日常生活動作事典

中京大学名誉教授・医学博士
湯浅景元

徳間書店

はじめに

　現在、「家庭内事故」への関心が高まっています。家庭内事故とは、自宅の居室や廊下、浴室、トイレ、庭など、生活空間に身を置きながら直面する事故をいいます。たとえば、風呂場で転んだり、階段で足を踏み外して落ちたりするなどです。じつは、こういった日常生活の中で起こる事故の発生件数は交通事故よりも多く、死亡に至るケースさえあります。

　厚生労働省の「人口動態統計」（2022年）によると、家庭における不慮の事故で亡くなった人は1万5673人。交通事故で亡くなった人は3541人で、約4・4倍の人が家庭内の事故で亡くなっています。家庭内で起きる死亡事故は65～79歳が31・2％、80歳以上が57・5％で、高齢者の割合が9割近くを占めています。

　家庭内事故の主な死亡原因は、不慮の溺死及び溺水、その他の不慮の窒息、転倒・転落・墜落が1～3位で、

この3つで82%を占めています。

本書では、こうした家庭内事故を防ぐために、日常生活における体の動かし方、起居《ききょ》、食事、排泄《はいせつ》、入浴、外出など、日常の行動の際の留意すべき点といった見逃しがちな「日常生活動作」を徹底的に見直し、正しい姿勢や動作方法をまとめたものです。

人生100年時代を生きるわたしたちにとって大切なことは、ケガや病気を防いで「健康寿命を延ばす」ことです。そのためにはウォーキングや筋力トレーニングなどの運動を行うことが必要です。でも、せっかく運動によって体力が向上したとしても、体の動かし方を間違えて生活動作中にケガをしたのでは元も子もありません。我が身を守るために「快適な体の動かし方」を知り、それを実践することが大切なのです。

湯浅景元

家庭内事故死を防ぐ　図解でわかる

日常生活動作事典 目次

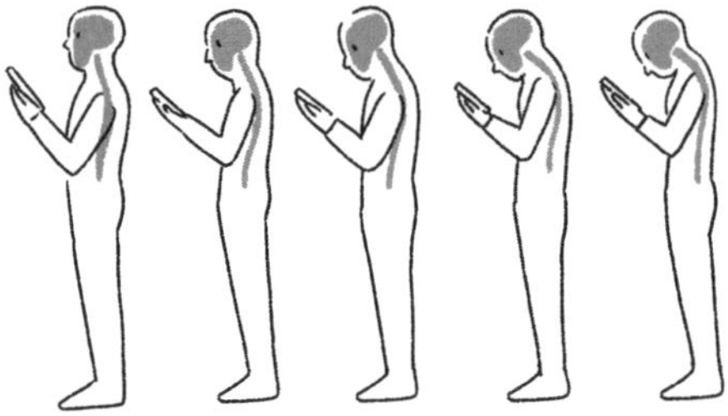

第1章

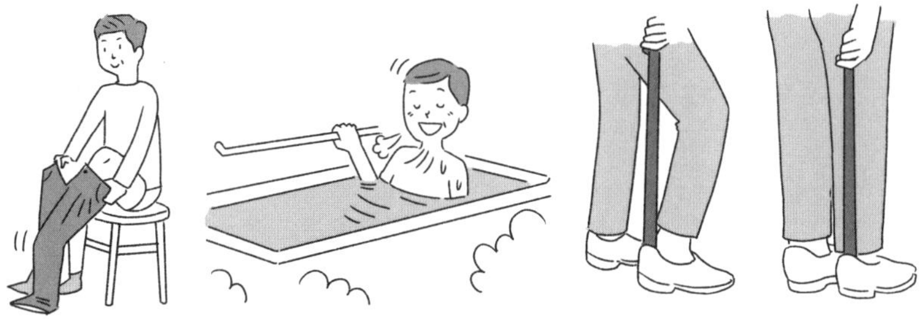

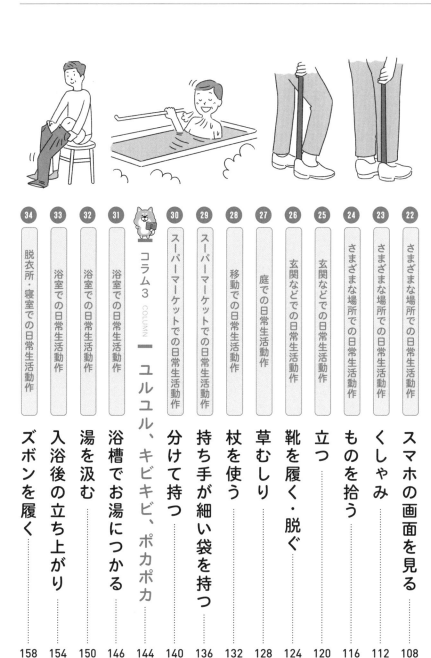

第2章

この本の使い方

・第1章では、43項目の日常生活動作の取り方を紹介しています。43項目は順序不同です。気になる項目から、お読みください。
・第2章では、エクササイズを紹介しています。イスを使う際は、安定したものを使って行いましょう。
・日常生活動作やエクササイズは、安全に注意を払って行いましょう。
・ケガや病気などがある場合、筋肉や関節などに痛みがある場合などは、主治医の指示に従ってください。

序　章

日常生活を自分の体で豊かに過ごすために

日常生活を暮らす中で、意識しなくとも行っている、立ったり座ったりする動作。じつは、こうした動作にも、体にとって負担の少ない最適な姿勢や動かし方があるのです。

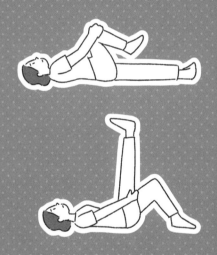

日常生活動作とは？

●自分の体を守るための体の動かし方

わたしは長年、大学でアスリートの指導に従事してきました。アスリートたちは、ケガを防ぐために、試合前に「基本の体の動かし方」を繰り返し練習します。どんなに鍛えられた体であっても、体を正しく動かさないとケガをすることがあるからです。

体を動かすとき、筋肉、腱《けん》、関節などに負荷がかかります。その負荷の大きさは、体の動かし方に影響されます。たとえば腕を回すときには、ひじを伸ばすよりも曲げて行うほうが肩への負担は小さくなります。

アスリートたちは、負担の小さい体の動かし方を指導者から教えられます。ところが、日常生活において、わたしたちが体を守るための体の動かし方を教えられることは、めったにありません。そのために、日々の生活動作の中でケガをすることがたびたび起こるのです。とくに体力が衰えた高齢者では、体の動かし方を間違えると、大ケガをして寝たきりになることさえあります。

日常生活動作は、日々の生活を送るために最低限必要な動作です。高齢者にとってと

快適な日常生活
日常生活動作
・起居　・更衣
・食事　・料理
・排泄　・洗濯
・入浴　・買い物
・整容　・掃除　…など
生きがい
・家族や友人との団らん
・家族や友人との食事
・趣味やスポーツ
・旅行に行く
・仕事　・勉強
・社会奉仕　・地域貢献　…など
介護を必要としない体
健康寿命を長くする
不健康な期間を短くする
負担の少ない体の動かし方
（本書第1章）
+α
・日々のエクササイズ
・ストレッチング
…など（本書第2章）

くに大切な日常生活動作は、起居《ききょ》、移動、食事、更衣《こうい》、排泄《はいせつ》、入浴、整容、料理、洗濯、買い物などです。こういった動作を、生涯自力で行うことができれば、生きがいのある、心身ともに充実した毎日を気兼ねなく過ごすことができることでしょう。

●負担の少ない体の動かし方＋体力維持が大切

日常生活動作は、名《な》は体《たい》を表すように、動作、すなわち「体を動かす」ことから成り立っています。

体を動かすためには体力が必要です。日常生活動作を自力で行うときも、それなりの体力が要求されます。この体力を維持するには、ウォーキング、筋力トレーニング、ストレッチングなどのエクササイズを継続して行うことが必要です。できれば毎日、それが無理なら週に2回はエクササイズを行う習慣を続けるようにしましょう。

体を動かせば、体はふだんより大きな負担を受けます。負担が体の限界を超えると、ケガを負います。日常生活動作といえども、体を無理に動かせば、体への負担が大きくなってケガをする可能性が高まります。

歳を重ねると自分の体を守る力が衰《おとろ》えていることも少なくないため、日常生活動作でケガをしないように、負担の少ない体の動かし方を心がけることも忘れてはいけません。

日常生活のための基本姿勢の取り方

●本書の基本の考え方

動作中（体を動かすこと）は体にかかる負荷が大きいほど、ケガは起きやすくなります。それは、日常生活動作にも当てはまることです。毎日繰り返される生活の中で、ケガをすることは避《さ》けたいものです。そのためには、体への負荷が小さい日常生活動作を心がけるのが正解でしょう。

　動作中に体にかかる負荷の大きさは、「姿勢」と「体の動かし方」に影響されます。

●「姿勢」の影響の例

たとえば、頭を前に倒した姿勢より立て

首の角度と頸椎にかかる負荷

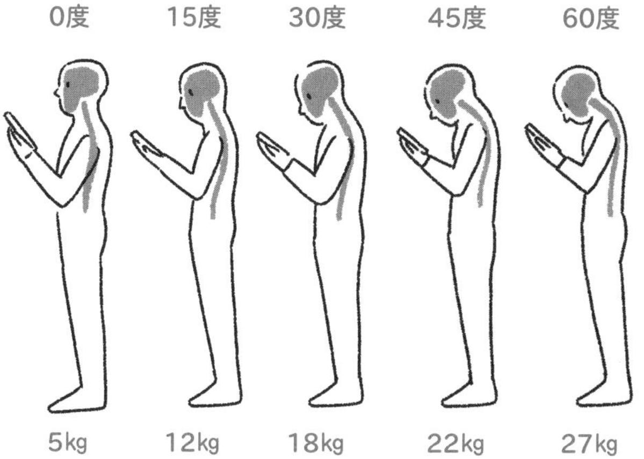
0度
15度
30度
45度
60度
5kg
12kg
18kg
22kg
27kg

＊http://drken.usより

た姿勢のほうが、首にかかる負荷は小さくなります。スマホの画面を見るとき、首を傷《いた》めないためには頭を立てたほうがよいことがわかります。

●「体の動かし方」の影響の例

もう一例あげます。あお向けの姿勢でひざを胸に引き寄せるとき、引き寄せる側のひざを曲げたほうが伸ばすよりも楽に行えます。なぜなら、ひざを伸ばすと太ももの後ろ側の筋肉が強く張るために、ひざを胸に引き寄せることを邪魔するからです。

ひざを胸に引き寄せるときは、引き寄せる側のひざを曲げ、続いてひざを曲げたまま引き寄せます。このように体を動かすと、無理なくひざを引き寄せることができます。

本書では、これらの例のように体を動かすときの「姿勢」と「体の動かし方」を基本に、安全な日常生活動作を紹介したいと思います。

ひざの曲げ伸ばしによる違い

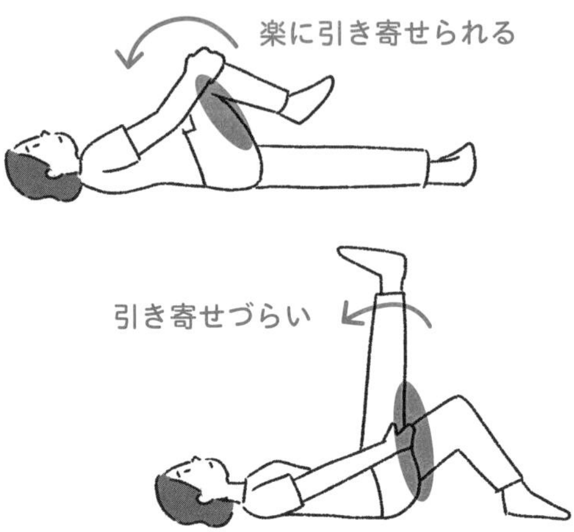

日常生活の
こんな場面あんな場面

本書では、日常生活の43場面を取り上げて
体の動かし方を紹介します。
43場面の中には、以下のものがあります。

テレビを観る（P.32）

スマホを見る（P.108）

イスに座る（P.36）

洗濯物をたたむ（P.94）

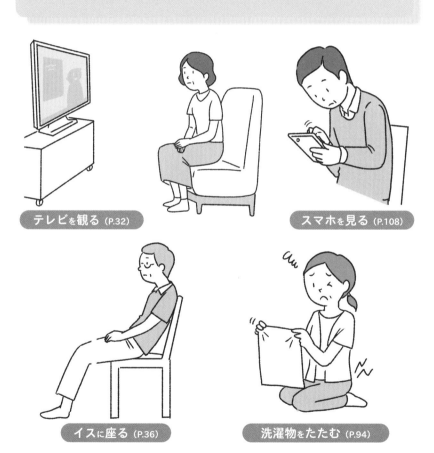

日常生活の
こんな場面
あんな場面

くしゃみ (P.112)

立つ (P.120)

草むしり (P.128)

荷物を運ぶ (P.98)

スーパーで買い物 (P.136)

靴下を履く (P.162)

第1章

日常生活動作の取り方

わたしたちの日常生活の中で、よくある場面を43個取り上げました。1つの項目につき4ページずつ紹介しています。気になる項目を開き、今日から早速実践してみましょう。

1

居間での日常生活動作

座る姿勢① あぐら

誤った「あぐら」の姿勢で座ると、腰が痛くなったり息苦しくなったりします。さらにその姿勢が習慣になると、背が丸くなったり、O脚を助長したりすることがあります。

なにげない
あぐらの姿勢に
注意！
危険!! 放置が招く
病気や症状
背中が曲がる
腰痛
O脚
……など

あぐらは腰痛や
O脚の原因にも
なっちゃうんだね
胸が圧迫される
背が丸くなる
ひざが
開いた状態
骨盤
骨盤が後ろへ
回転する

な?ぜ

あぐらを続けると腰が痛くなる、息苦しくなる、背が丸くなる、O脚になるなどの症状が生じるのは、すべて骨盤が後ろへ倒れることに原因があります。骨盤が後ろへ倒れると腰椎《ようつい》が圧迫されて腰が痛くなります。背をまっすぐ立てることが難しくなり、背が丸まってきます。背が丸まると胸が圧迫されるので息が切れます。背が丸まった姿勢は不安定なので、安定させようとひざを横に開き、O脚へと進んでしまうのです。

座る姿勢① あぐら

ここがポイントだよ！
骨盤を立てて
腰を少し
反らしてね
骨盤
骨盤を立てる

ポイント！

体への負担が小さい「あぐら」の姿勢をとるには、骨盤をまっすぐ立てることがポイントです。そのために、腰をやや反《そ》らすようにします。さらに、上半身がほぼ垂直になるように意識しましょう。

実践

①腰をやや反らせるようにして、あぐらの姿勢で座る。

②上半身は垂直になるように意識する。

③長時間あぐらの姿勢を続けるときは、体への負担を軽くするためにクッションを利用する。

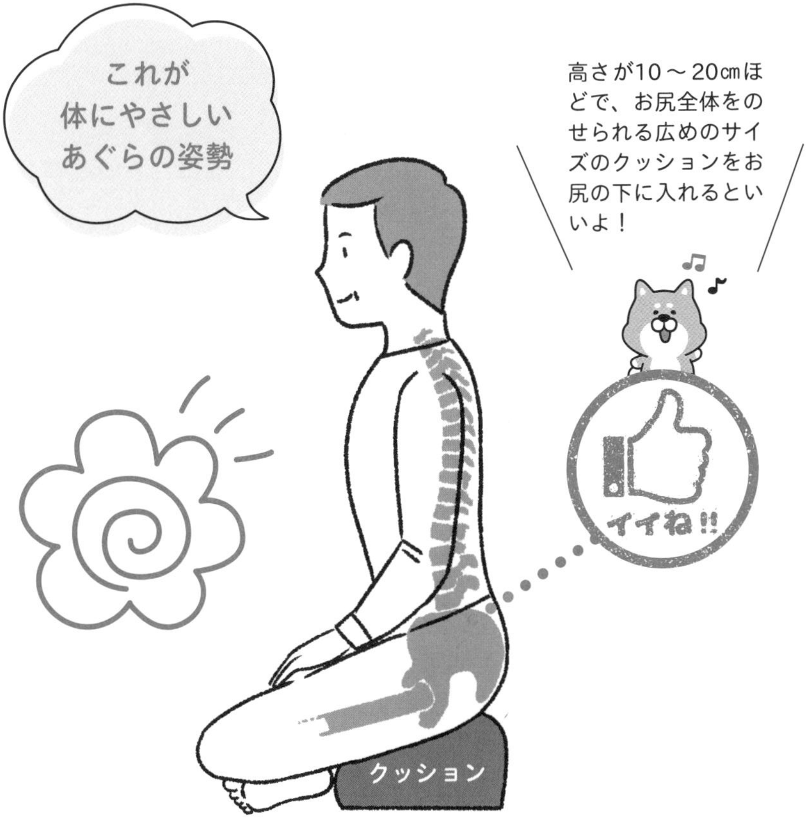
これが
体にやさしい
あぐらの姿勢
高さが10～20㎝ほどで、お尻全体をのせられる広めのサイズのクッションをお尻の下に入れるといいよ！
イイね!!
クッション

座る姿勢② 正座

食事や来客の対応、仏事などで正座をすることがあります。正座の状態が長くなると、ひざが痛くなったり足がしびれたりします。ひざの痛みが治まらなくて長引くこともあります。

なにげない
正座の姿勢に
注意！
危険!! 放置が招く
病気や症状
足のしびれ
ひざの痛み
ひざ関節の損傷
……など

正座の姿勢が習慣になるとひざの痛みの原因になっちゃうんだね
過度な屈曲
圧迫

なぜ

ひざ関節の過度な屈曲は、関節に損傷を与える原因になります。ひざ関節に大きな負担をかけない屈曲角度（大腿と下腿の間の角度）は40度と言われています。ところが、正座をしたときのひざの屈曲は約20度と過度になっています。そのため、ひざ関節が受ける負担が大きくなり、痛みが発生します。また、正座のとき太ももの後ろ側とふくらはぎは密着して圧迫されます。圧迫されている部分では血液の流れが悪くなり、それがしびれや痛みを引き起こします。

座る姿勢②
正座

ここがポイントだよ！

身についた習慣を
変えることは
難しいけれど、
年齢に応じて
変化を選んで！

ポイント！

体の衰えとともに、体は変化してきます。そのため、長年続けてきた習慣もそれに応じて変化させたほうがよいことに直面することがあります。たとえば「正座」もそのひとつです。正座は、とくにひざ関節に大きな負担をかけてひざの痛みを発症させます。ひどくなると、歩行が困難になってきます。

実践

①正座姿勢を楽にさせる「正座イス」を利用して座る。

②正座イスから立ち上がれない人は、高さ40㎝ほどのイスに座るようにすると、立ち上がりが楽にできる。

これが
体にやさしい
正座の方法
ひざの
曲げ過ぎを
防ぐ
イイね!!
正座イス
太ももの裏側と
ふくらはぎの圧迫を防ぐ

床から立ち上がる

若いころは、両足を体のほうへ引き寄せる勢いでお尻を上げ、一気に立ち上がっていました。しかし、そんなことは、年齢を重ねるとともにできなくなってくるものです。

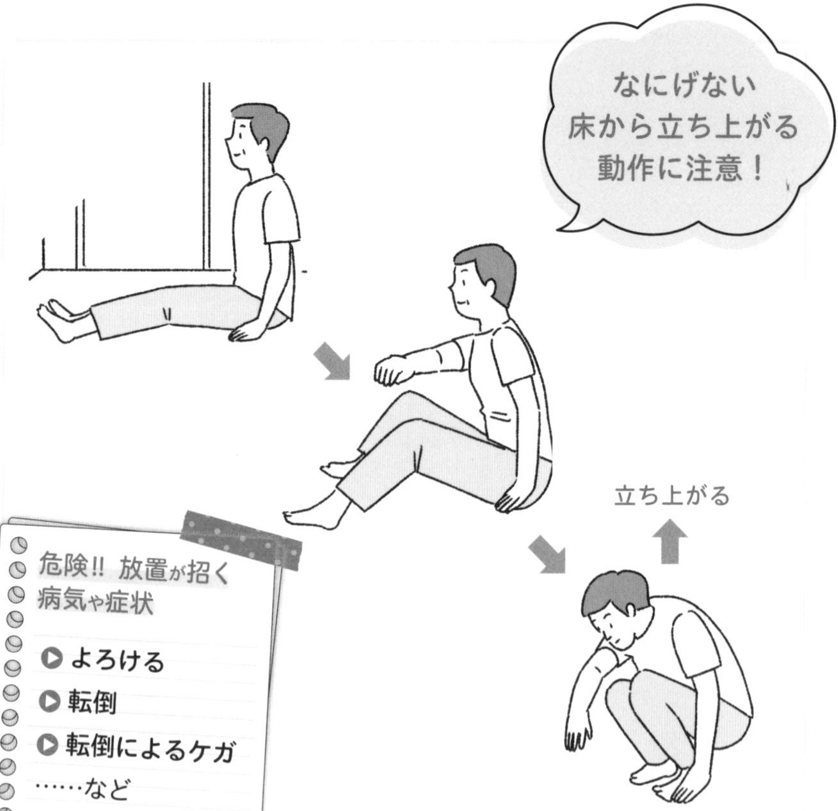
なにげない
床から立ち上がる
動作に注意！
立ち上がる

危険!! 放置が招く病気や症状

- よろける
- 転倒
- 転倒によるケガ

……など

歳を重ねると
以前と同じようには
できないことも
あるよね

なぜ

床から立ち上がるには、脚力やバランス能力などが必要です。こういった能力は加齢とともに衰え、若いころのように勢いよく立ち上がることはできなくなるのが自然です。衰えすぎると、自力で立ち上がること自体が難しくなります。

床から立ち上がる

ここがポイントだよ！
赤ちゃんの
ハイハイの姿勢は
とっても
理にかなって
いるんだよ
幼児は
ハイハイの姿勢から
立ち上がる

ポイント！

幼児は筋力もバランス能力も十分発達していないのに、自力で立ち上がれるようになります。体力が衰えたら、幼児の立ち上がりの動作をまねるとよいでしょう。

これが体にやさしい立ち上がり方

①両足を前に伸ばした姿勢をとる。

②体をねじって両手を床につく。

③腰を完全にねじりきり、ハイハイの姿勢になる。

④片ひざを立てて立ち上がっていく。

⑤両手を床につけたまま、両ひざを伸ばしていく。

⑥上体をゆっくり起こして、立った姿勢になる。

4

居間での日常生活動作

座る姿勢③ 長時間の座位

体を休ませる、テレビを観る、本を読む、家族らと会話する、情報機器を利用する……など、わたしたちは一日の大半をイスに座って過ごしています。健康志向が高まっている現在、イスに座る時間の長さに注目が集まっているのです。

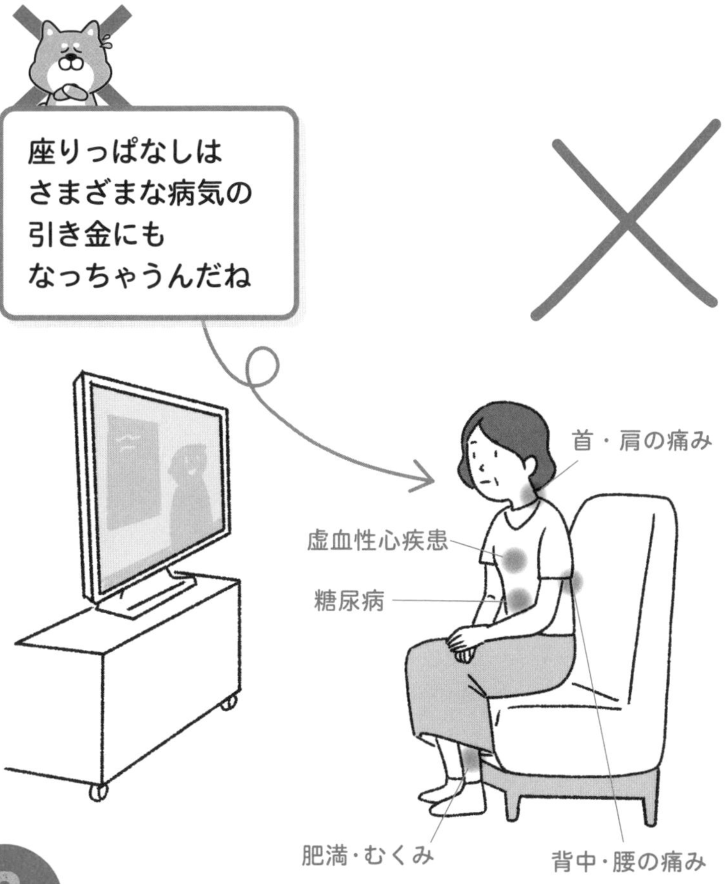
座りっぱなしは
さまざまな病気の
引き金にも
なっちゃうんだね
首・肩の痛み
虚血性心疾患
糖尿病
肥満・むくみ
背中・腰の痛み

なぜ

座位行動が健康に及ぼす影響について、多くの研究が報告されています。いずれの研究も指摘していることは、イスに座っている時間が長くなったり、長時間イスに座ることが習慣になったりしていると、さまざまな健康障害を起こす危険性が高まる、ということです。

座る姿勢③ 長時間の座位

ここがポイントだよ！
ふくらはぎを
動かすと
血液の流れが
よくなるよ

ポイント！

イスに長時間座っていると、血液の流れが悪くなります。これが、健康障害を起こす重要な原因です。座っているときの血行不良を防ぐ効果的な方法は、ふくらはぎの筋肉を働かせることです。ふくらはぎの筋肉が活動するたびに、まわりの血管が押されたり緩められたりするので、血液を心臓のほうへ送り出します。血行を促すための運動として注目されているのが「ジグリング（貧乏揺すり運動）」です。

実践

①座席の横などに手を置き、体を安定させる。
②足先を床につけたまま、かかとを2㎝ほど上げて貧乏揺すりのように足を細かく上下に動かす。
③この「貧乏揺すり運動」をテレビを観ていれば、CMタイムごとに繰り返し行う。

これが
座りっぱなしの
悪影響を
防ぐ方法
両足同時に行っても、片足ずつ行ってもいいよ！
2㎝
イイね!!

5

居間での日常生活動作

座る姿勢④ イスの座位

背もたれにもたれかかり、お尻と太ももは前方にすべり、足を前に投げ出した座り方を「仙骨《せんこつ》座り」と呼びます。尾骨《びこつ》の上にある仙骨で体重を受けるので、この名前がつけられました。仙骨座りを続けていると、仙骨部分の皮膚が赤みを帯《お》びたり、ただれたり、傷めることがあります。

なにげない座り方に注意！
危険!! 放置が招く病気や症状
皮膚の赤み
皮膚のただれ
仙骨の痛み
……など

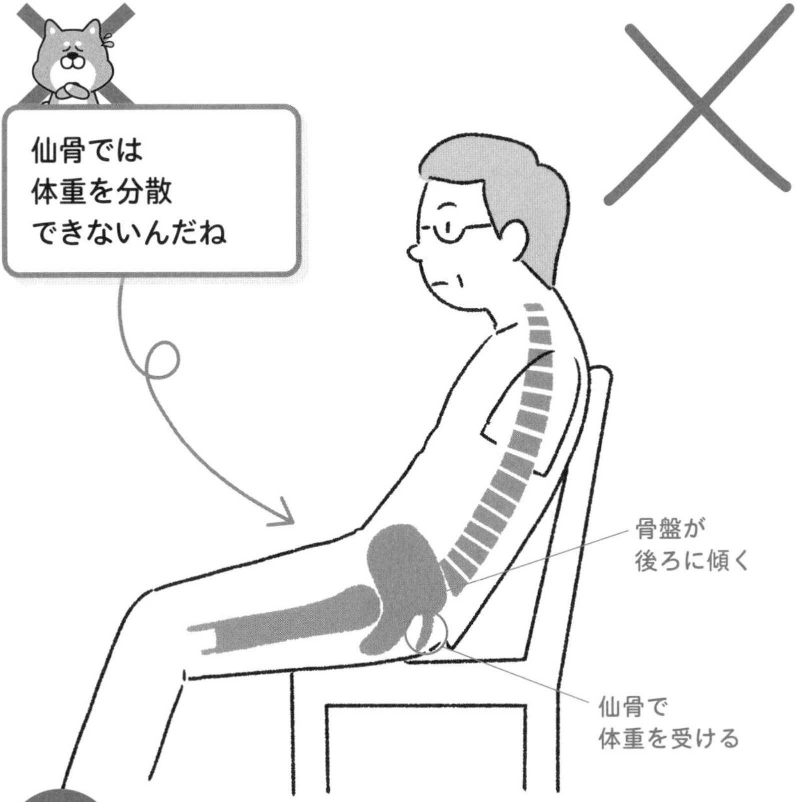
仙骨では
体重を分散
できないんだね
骨盤が
後ろに傾く
仙骨で
体重を受ける

なぜ

仙骨は、尾骨の上にあります。仙骨座りをすると、骨盤が後ろ側に傾いて仙骨で体重を受けるようになります。仙骨の先は細くなっているので体重を分散できず、体重は仙骨に集中します。そのために、体重を受ける部分は摩擦や血行障害が生じ、炎症を引き起こすことになるのです。

座る姿勢④ イスの座位

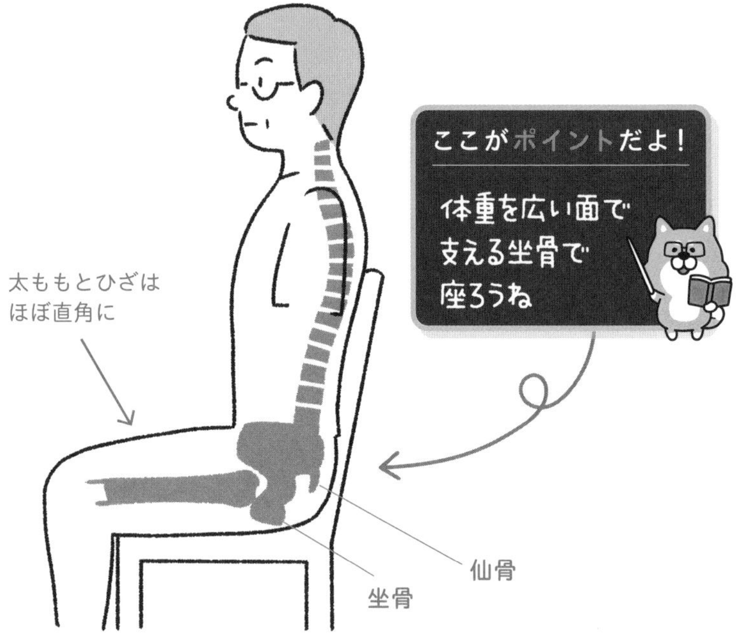
太ももとひざは
ほぼ直角に
ここがポイントだよ！
体重を広い面で
支える坐骨で
座ろうね
仙骨
坐骨

ポイント！

仙骨座りが原因で起こる障害を防ぐには、仙骨を座面から離し、坐《ざ》骨《こつ》で体重を受ける「座位姿勢」をとることです。坐骨は広い面で体重を支え、お尻にかかる負担を軽くするようにできています。背中と腰を背もたれにつけ、太ももとひざがほぼ直角になるように座るのがポイントです。

実践

右ページのポイントで示したように、坐骨で座ることが一番ですが、背中の丸みが強くてポイントで示した座位姿勢をとることが難しい人は、次のようにしましょう。

①できればひじ掛けのあるイスを利用する。

②背中を背もたれにつけ、お尻をできるだけ後ろ側へ引く。

③背もたれと腰の間の隙間にクッションかバスタオルを置く。

④背中をできるだけ伸ばすようにする。

これが
体にやさしい
座り方
イイね!!
お尻をできるだけ
後ろへ引く
背もたれと腰の間に
クッションか
バスタオルを置く

6

居間での日常生活動作

イスに腰掛ける

イスに勢いよく「ドッスン！」と腰掛けることはありませんか？　このような座り方は、周りの人によい印象を与えませんし、なにより自身の体を傷めることがあります。

!!
なにげない
座り方に
注意！
ドッスン！
危険!! 放置が招く
病気や症状
腰の痛み
背中の痛み
脊椎の損傷
……など

体重の衝撃で
脊椎を痛めること
があるんだよ
!!
体重

ドッスン座り

なぜ

脊椎が骨粗しょう症でもろくなっていると、勢いよくイスに腰掛ける程度の衝撃でも、つぶれるように折れてしまうことがあります。骨がもろくなっている可能性が高い高齢者は、「ドッスン座り」を避けるようにしましょう。

イスに腰掛ける

ポイント！

イスに腰掛けるときの動作は、ゆっくり行いましょう。「イチ、ニー、サン」と3つ数える間に座ります。座面に一方の手を置くと、腰掛ける姿勢が安定します。

実践

①ゆっくり上体を前に倒していく。

②上体を前に倒すのに合わせて、ひざを曲げていく。

③ひざを曲げながらお尻を座面に近づけていく。

④座面にお尻がついたら、上体をゆっくり起こす。

これが
体にやさしい
イスの座り方
イイね!!
1
2
3
4

7

居間での日常生活動作

イスから立つ

イスに座る基本の姿勢では、足関節・ひざ関節・股関節はそれぞれ直角になっています。この姿勢からサッと立ち上がることはできません。無理に立ち上がろうとすれば、ひざや腰の関節を傷めることになります。

なにげない
立ち上がり方に
注意！
危険!! 放置が招く
病気や症状
ひざの痛み
腰の痛み
ひざや腰の関節の
損傷
……など

重心ひとつで
立ち上がれない
ものなんだね
重心
支持基底面

なぜ

体重を支えるために必要な面を「支《し》持《じ》基《き》底《てい》面《めん》」と言います。支持基底面から重心が後ろ側の遠い位置にあると、人間は立ち上がる力を発揮できません。股関節・ひざ関節・足関節を直角に曲げてイスに深く座っている姿勢から立ち上がってみてください。体がピクリともしないことがわかるはずです。

イスから立つ

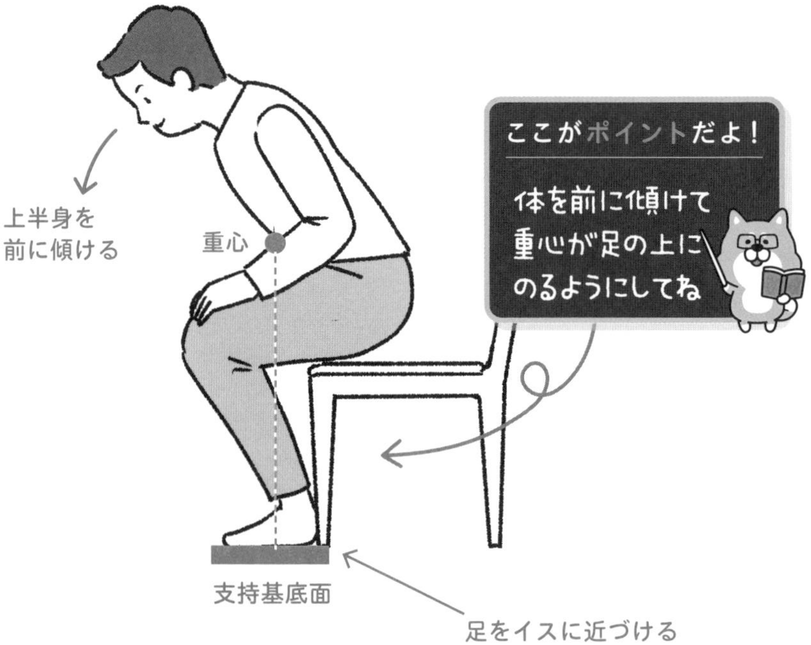
上半身を
前に傾ける
重心
ここがポイントだよ！
体を前に傾けて
重心が足の上に
のるようにしてね
支持基底面
足をイスに近づける

ポイント！

まず、立ち上がる力を発揮できる姿勢をつくりましょう。そのためには、重心が支持基底面の上にくるようにすることがポイントです。足をイスのほうへ近づけ、上半身をできるだけ前に傾けると、楽に立ち上がる姿勢になります。

実践

①足をイスに近づけて、上体を前に倒す。
②お尻をゆっくり上げていく。
③上体を起こしながら立ち上がる。

これが
体にやさしい
立ち上がり方
イイね!!
1
2
3
足をイスに
近づける
お尻をゆっくり
上げる

8

居間での日常生活動作

細かい文字を読む

新聞や雑誌、本やカタログなど細かい文字を読んでいると、目が疲れたり、首・肩・背中にこりや痛みを感じることがあります。

危険!! 放置が招く病気や症状
目の疲れ
首・肩・背中のこりや痛み
……など
なにげない目の酷使に注意！
…

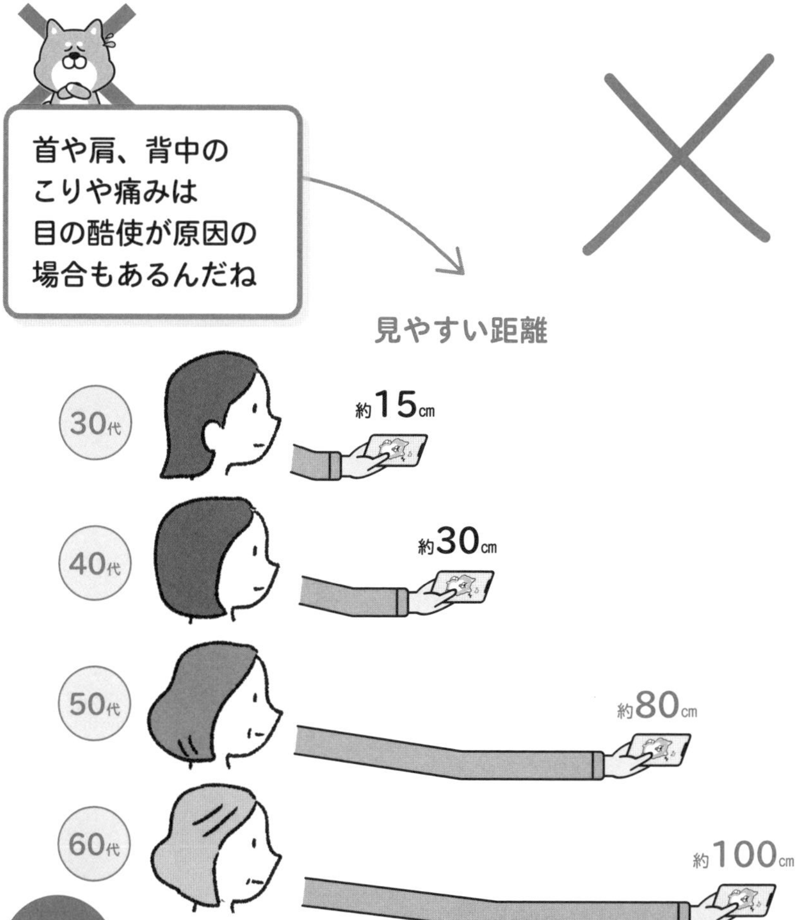
首や肩、背中の
こりや痛みは
目の酷使が原因の
場合もあるんだね
見やすい距離
30代
約15cm
40代
約30cm
50代
約80cm
60代
約100cm

なぜ

40歳代ころから老眼が始まり、70歳代になるとほぼ全員が老眼です。老眼になると、近くほど見にくくなります。無理して見ようとすると、目や首・肩・背中の筋肉の緊張が高まり、こりや痛みを感じるようになります。

8

居間での日常生活動作

細かい文字を読む

ここがポイントだよ！
老眼鏡や
拡大鏡のほか
スマホも
活用してみよう
老眼鏡や
拡大鏡を使う
推理小説

ポイント！

書類などの文字をはっきり読み取るには、老眼鏡や拡大鏡を利用します。なかには、近視用の眼鏡をはずして裸眼にすると見えやすくなる人もいます。スマホを利用することも、ひとつの手です。

実践

①スマホを利用することを試みてみよう。

②スマホで書類や本などを撮影する。

③撮影した画像を、指の操作により画面を拡大して読む。

これが
体にやさしい
細かい文字の
読み方
スマホ画面の文字を太くしたり、文字サイズを大きくしたりなどの設定もするといいよ！
イイね!!
書類などを
スマホで撮影する
Webマガジン
0月0日配信
指の操作で
画面を拡大する

9

書斎での日常生活動作

キーボードを打つ

コンピュータのキーボードを使うときの姿勢が適切でないと、手の親指から薬指までの4本の指にしびれや痛みを感じることがあります。「手根管症候群《しゅこんかんしょうこうぐん》」という症状です。❶や❷のように手首を曲げてキーボードを使うと、この症状は起きやすくなります。

なにげない
キーボードの
打ち方に注意！
❶
❷
危険!! 放置が招く
病気や症状
手指のしびれ
手指の痛み
手根管症候群
……など

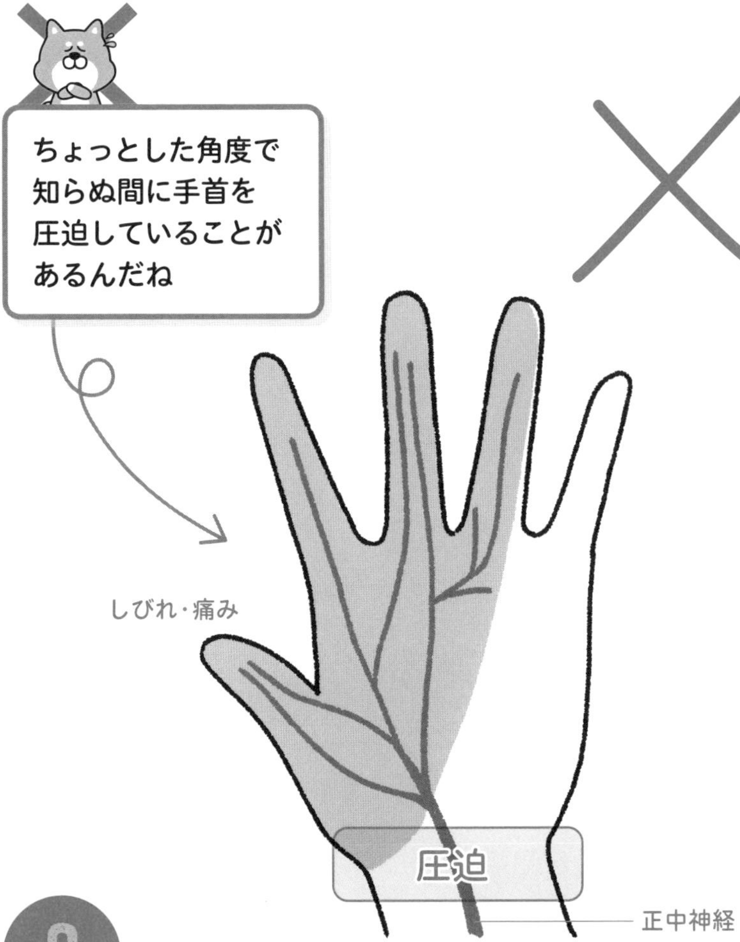
ちょっとした角度で
知らぬ間に手首を
圧迫していることが
あるんだね
しびれ・痛み
圧迫
正中神経

なぜ

手首を曲げると、その部分の正中神経《せいちゅうしんけい》は圧迫されます。正中神経は圧迫された状態が続くと、親指・人差し指・中指・薬指の親指側半分の部分（グレーの部分）にしびれや痛みを起こさせます。

キーボードを打つ

ここがポイントだよ！
リストレストとは、キーボードやマウスの手前に置き、手首などをのせるものだよ。手首の疲労軽減や保護などに効果的だよ！
手と前腕は
まっすぐに並ぶように
リストレスト（代わりにタオルでもよい）

ポイント！

キーボードを使うとき、手首のしびれや痛みを起こす手根管症候群を防ぐには、手と前腕を結ぶ線をまっすぐにすることです。手首を手の甲側に曲げてキーボードを打つ人が多くみられますが、こういう人は「リストレスト」を利用して、手とキーボードが同じ高さになるように調整しましょう。

実践

①手と前腕を結ぶ線がまっすぐになるように、キーボードを置く机の高さを調整する。

②あるいは、キーボードスライダーを取り付けて、手と前腕を結ぶ線がまっすぐになるようにする。

③手の位置をひじよりほんの少し低くすると、手首への負担をより軽減できる。

これが
体にやさしい
キーボードの
打ち方
手の位置は
ひじより
ほんの少し低く
キーボードスライダーとは、キーボードを置くためのスライド式のトレイや引き出しのことだよ。コンピュータや机の下に収納できるほか、姿勢や体への負担軽減などに効果的だよ！
イイね!!
キーボードスライダー

10

廊下での日常生活動作

室内履き

高齢者の転倒事故の多くは、じつは屋外より自宅で発生しています。その原因として、室内履きとしてスリッパを着用していることがあげられます。

なにげない
室内履きに
注意！
!!
危険!! 放置が招く
病気や症状
▶転倒
▶転倒によるケガ
▶転倒による骨折
……など

スリッパは
すり足になるから
転びやすいんだね
かかとが
覆われていない
スリッパ
つまずきやすい

なぜ

かかとが覆われていないスリッパを履くと、スリッパが脱げないように「すり足」で移動するようになります。すり足で移動すると、床のでっぱりなどに足の指を当てて転倒しやすくなるのです。

室内履き

ここがポイントだよ！
かかとまで
あるものを履くと
いいよ
かかとまで
足全体を覆う
室内履き

ポイント！

室内での転倒を防ぐには、底に滑り止めがついていて、足先からかかとまで足全体を覆うシューズを履くことです。介護シューズ（ケアシューズ）を室内履きとして利用するのもよいでしょう。

実践

①室内で移動するときは、シューズ型の履き物を利用する。

②すり足にならないように注意して、ひざを軽く曲げ、足裏全体を床から離して踏み出す。

③歩幅はやや狭めにする。

コラム1

まだ遅くない

「もう年だから……」とあきらめるのは、早いようです。

スウェーデンのカロリンスカ研究所主任研究員であるデボラ・リズートさんは、寿命を短くさせる危険因子の保有数と寿命の関係を調べました。

危険因子は「運動不足、過体重・過少体重、過去・現在の喫煙、社会的つながりの欠乏、余暇活動に不参加」です。こうした危険因子の保有数が多い人ほど寿命は短くなることがわかったのです。この結論で終わってしまえば、リズートさんの報告に注目が集まることはなかったでしょう。

1810名の75歳以上の人を18年間追跡したところ、危険因子の保有数が減るほど余命は長くなることがわかりました。健康に悪影響を及ぼす習

慣を改善すれば、75歳からでも余命を長くすることができるのです。高齢者には朗報です。

リズートさんによれば、75歳を過ぎても、次のようなことに注意すれば余命を長くできる可能性が高まるということです。

①座る時間を短くして、頻繁に体を動かす。
②標準体重【身長（m）×身長（m）×22】を維持する。たとえば、身長が１６０㎝（１・６m）の人なら、標準体重は【１・６×１・６×22】により、およそ56キロです。
③禁煙に努める。
④より多くの人と交流する。
⑤心身に適度な刺激を与える余暇活動に積極的に参加する。

「もう年だから」と言う前に、取り組んでみる価値はありそうです。

11

階段での日常生活動作

階段を下りる

自宅で転倒・転落事故がもっとも起きやすい場所は、階段です。階段での転倒・転落事故の大部分は、階段を下りるときに起こっています。

なにげない
階段の下り方に
注意！
危険!! 放置が招く
病気や症状
転倒・転落
転倒・転落による
ケガ
……など

階段を下りるとき
多くの人は少し先を
見がちなんだね
ふだん
見ているところ

なぜ

多くの場合、階段を下りるとき、足元をしっかり見ようとはしません。たいてい、前方の踊り場か、その踊り場の先の階段を注視しがちです。そのため、足を階段から踏みはずして転倒・転落するケースが多いのです。

階段を下りる

ここがポイントだよ！
少し先ではなく
これから下りる
踏み板を見てね
これから足を置く
踏み板を見る

ポイント！

階段を下りるときに転倒・転落を防ぐには、これから足を置く一段下の踏み板を見るようにします。わたしたちの目は下方が見やすいようにできています。頭を倒さなくても目線だけ下に向ければよいのです。

実践

①手すりか壁に手を置く。
②目線は一段下の踏み板に向ける。
③足を一段下の踏み板にゆっくり置く。
④続いてもう一方の足を次の一段下の踏み板に置く。
⑤バランスに不安のある人は、1つの踏み板に一方の足を置いたら、もう一方の足を揃えて、一段2歩ずつ下りる。

12

階段での日常生活動作

階段を上る

体力に多少自信があっても、何十段もある神社の石段などを上ると息が上がるものです。体力が落ちると、自宅の階段を上るだけでも息切れがします。

危険!! 放置が招く病気や症状
息切れ
動悸
疲労
……など
なにげない
階段の上り方に
注意！

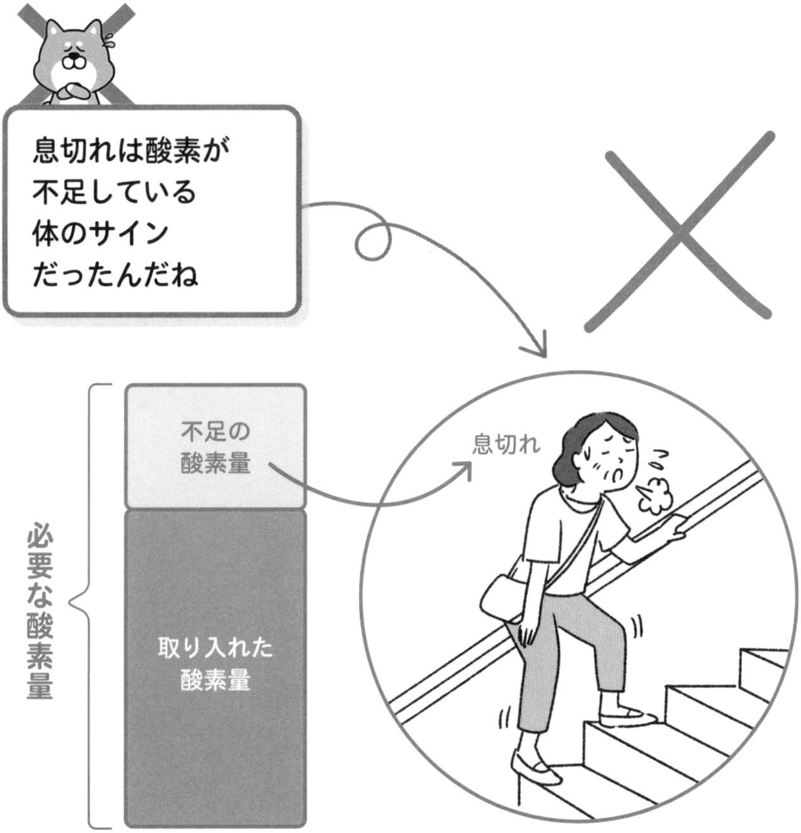
息切れは酸素が
不足している
体のサイン
だったんだね
不足の
酸素量
取り入れた
酸素量
必要な酸素量
息切れ

なぜ

階段を上るために、体は酸素を必要とします。必要な酸素が取れていれば、息苦しさを感じません。しかし、十分な酸素を体に取り入れることができなくて不足すると、息を止めて体を動かしているような状態になり、息切れが起こってきます。

階段を上る

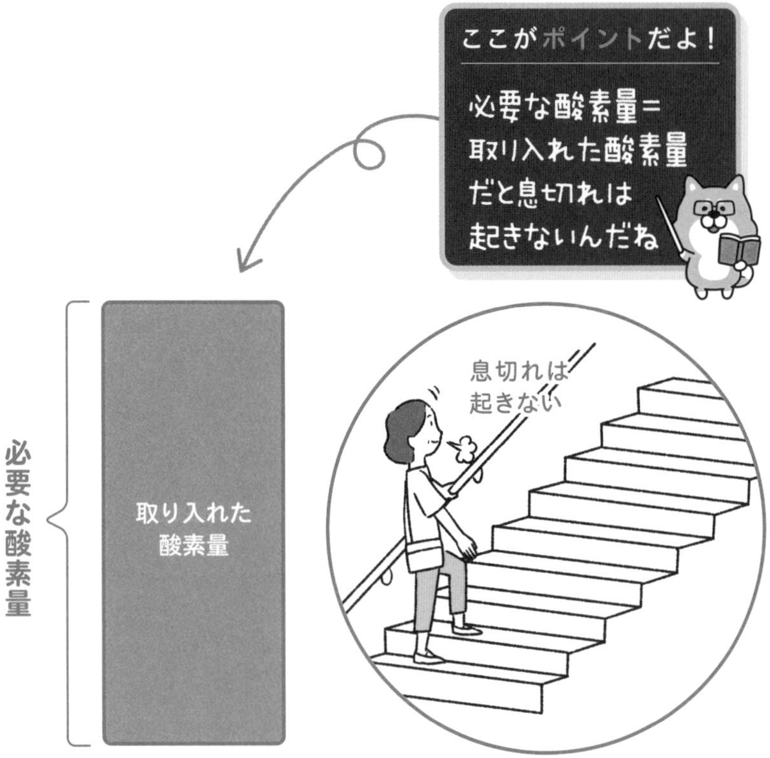
ここがポイントだよ！
必要な酸素量＝
取り入れた酸素量
だと息切れは
起きないんだね
必要な酸素量
取り入れた
酸素量
息切れは
起きない

ポイント！

息切れを生じさせないためには、体に取り込む酸素を不足させないことです。必要な酸素をしっかり取り入れながら階段を上れば、息切れを起こすことはありません。

実践

①手すりに手を添える。
②一方の足を、息を吐きながら一段上に上げる。
③息を吸いながら、もう一方の足を上げて揃える。
④呼吸に注意しながら、一段上るごとに、両足を揃えていく。

これが体にやさしい階段の上り方

こうすると「必要な酸素量」と「取り入れた酸素量」が同量になるよ！
呼気
吸気
一段上る
両足を揃える
イイね!!

13

食卓での日常生活動作

カップで飲む

高齢になると、コーヒーや紅茶をカップで飲むときに、片手でカップの持ち手を持つと、飲み物をこぼしやすくなります。

指が痛かったり
握力が弱くなると
カップを持つのも
一苦労だよね
不安定

なぜ

歳を重ねるにつれて指の関節の痛みが強くなったり、握る力が弱くなったりします。そうした状態で、飲み物が入ったカップの持ち手を片手で持つと、飲むときにカップが揺れて飲み物がこぼれやすくなってしまうのです。

カップで飲む

ここがポイントだよ！
持ち手の間に
指を通すと
安定性が
高まるよ
持ち手の間に
人差し指を通す
両手のひらで
カップを
包み込むように持つ

ポイント！

飲み物が入ったカップを安定させられるよう、両手を使いましょう。痛みを感じる関節を大きく曲げないように、カップを両手で包み込むように持ちます。カップの持ち手の間に人差し指を通して持つと、より安定性が高まります。

実践

①カップを両手で包み込む。

②一方の手の人差し指を、持ち手の間に通してカップを安定させる。

③手の関節の痛みが強いときは、痛みを感じる側の手のひらにカップをのせて、もう一方の手でカップを包むように持つ。

これが
体にやさしい
カップの持ち方
持ち手の間に
人差し指を通す
持ち手に通す指
は、人差し指と
中指の2本でも
いいよ！
イイね!!
痛みを感じる側の手

14

食卓での日常生活動作

コップで飲む

歳を重ねると服用する薬の量が多くなり、コップで水を飲む機会が増えます。指の関節に痛みを感じている人は、指先だけをコップの表面につける持ち方は、避けたほうがよいでしょう。

なにげない
コップの持ち方
に注意！
危険!! 放置が招く
病気や症状
指の痛み
指の関節の損傷
……など

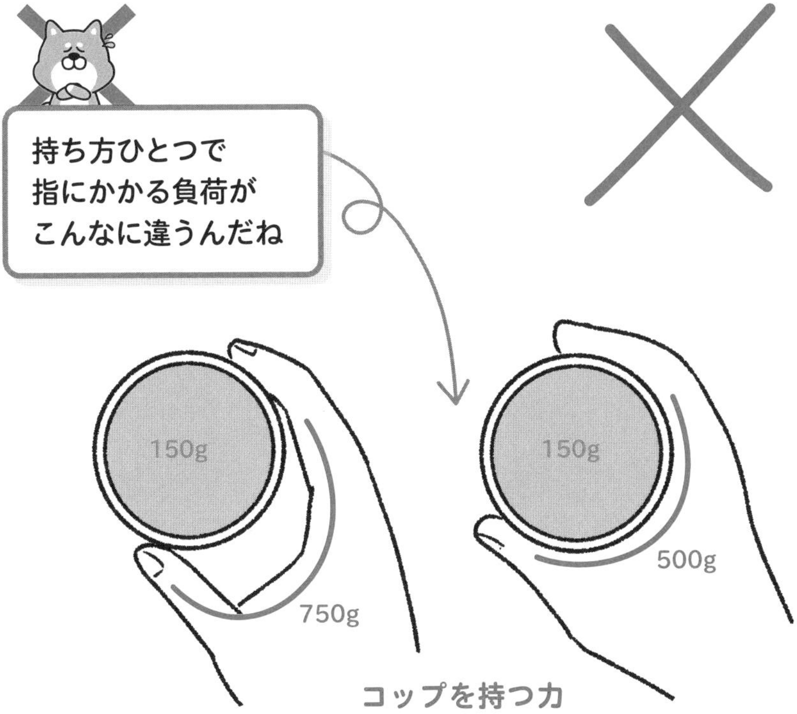
持ち方ひとつで
指にかかる負荷が
こんなに違うんだね
150g
750g
150g
500g
コップを持つ力

なぜ

コップを持つ力は、持ち方で違います。たとえば飲料水の入った150gのコップを指先で持つと（イラストの左）、コップを落とさないように持つための力は750g必要です。一方、イラストの右のように、同じ重さのコップを指の腹側から手のひら全体で覆うように持てば500gの力となります。指の関節が痛い人は、関節への負担をわずかでも軽減することが大事です。

14

食卓での日常生活動作

コップで飲む

ここがポイントだよ！
指の腹から
手のひら全体を
コップに当ててね
指の腹から
手のひら全体で
コップを持つ

ポイント！

コップで水などを飲むときは、手の指の腹側と手のひら全体でコップの表面を覆うようにして持ちましょう。

実践

①手の指の腹側と手のひらをコップの表面に当てて持つ。

②コップの中の飲み物をゆっくり飲む。

これが
体にやさしい
コップの持ち方
イイね!!
指の腹と
手のひらで
コップを持って飲む

15

食卓での日常生活動作

薬を飲む

飲み込む力が弱っている高齢者は、顔を上に向けた姿勢で薬を飲み込むことがあります。こうすれば薬はのどを通りやすくなると感じているのかもしれませんが、じつはこの飲み方には薬や水が気道のほうへ入ってしまう危険性があります。薬や水が気道に入ると、むせたり誤《ご》嚥《えん》性《せい》肺《はい》炎《えん》を招きやすくなります。

なにげない
薬の飲み方に
注意！
危険!! 放置が招く
病気や症状
むせる
こぼす
誤嚥性肺炎
……など

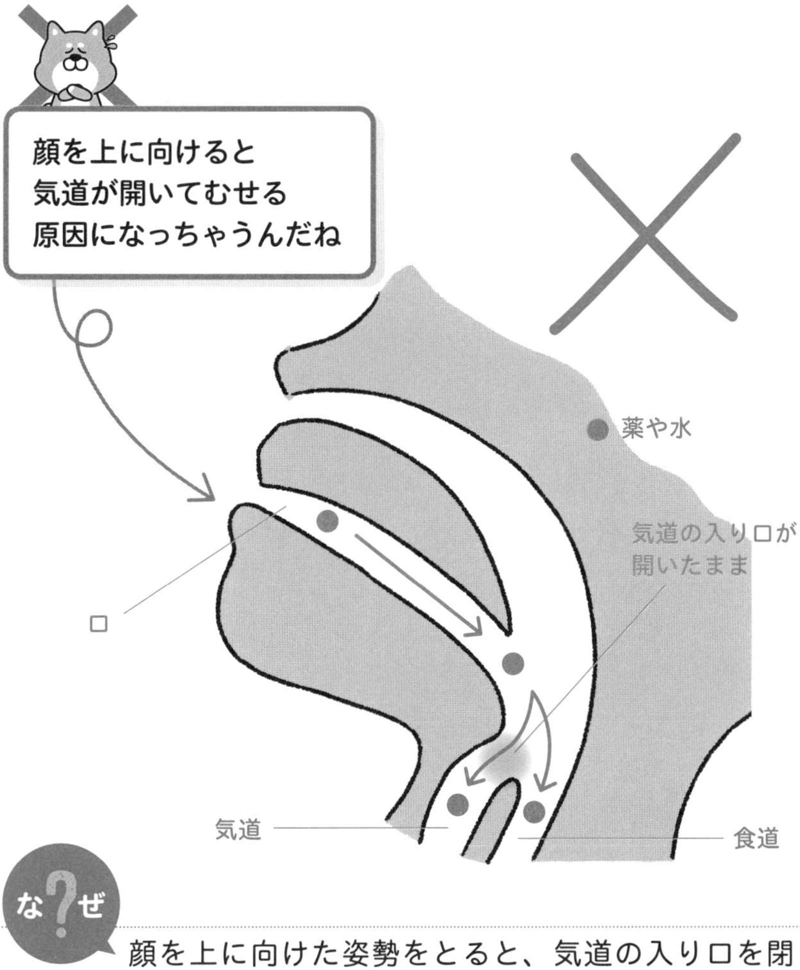
顔を上に向けると
気道が開いてむせる
原因になっちゃうんだね
薬や水
気道の入り口が
開いたまま
口
気道
食道

なぜ

顔を上に向けた姿勢をとると、気道の入り口を閉じにくくなります。そのために、薬や水の一部が気道に入り込んで、むせることがあります。また、口の中の細菌が気道から肺に入って、誤嚥性肺炎を発症させる原因になることもあります。

15

食卓での日常生活動作

薬を飲む

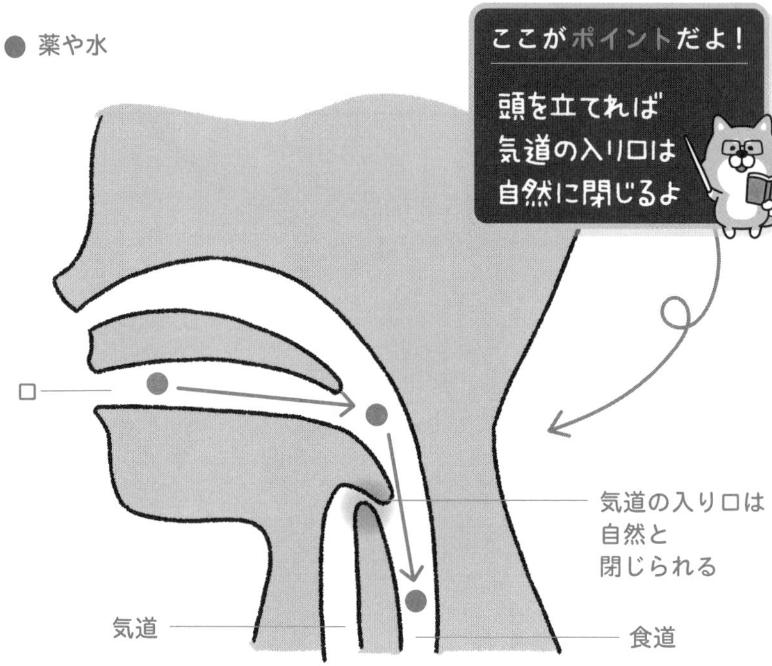
薬や水
ここがポイントだよ！
頭を立てれば
気道の入り口は
自然に閉じるよ
口
気道の入り口は
自然と
閉じられる
気道
食道

ポイント！

むせたり誤嚥性肺炎を防ぐためには、気道を閉じた状態で飲み込むことです。そのためには、頭を垂直に立てることがポイントです。頭を垂直に立てて薬や水を飲み込むと、意識しなくても気道の入り口は閉じて、薬や水の侵入を防いでくれます。

実践

①薬を飲み込むのが苦手な人は、ゼリーやオブラートを利用して、飲みやすくする。
②頭を垂直に立てて、水をゆっくり流し込むようにして薬を飲む。
③あごを軽く引くと、薬や水が気道に入る危険性をいっそう軽減できる。

これが
体にやさしい
薬の飲み方
頭は垂直に
立てる
服薬用のゼリー
などを利用する
と頭を垂直に立
てたままでも薬
をスムーズに飲
めるよ！
イイね!!

16

台所での日常生活動作

食器の出し入れ

棚の高い位置にある食器などを取り出したり元へ戻したりするとき、腕を高く上げます。楽そうに感じるこの腕上げ動作は、呼吸能力が衰えた高齢者にとっては要注意です。腕を上げるだけで息が切れることがあるのです。

なにげない
食器棚の
使い方に注意！
危険!! 放置が招く
病気や症状
息切れ
転倒
肩の痛み
……など

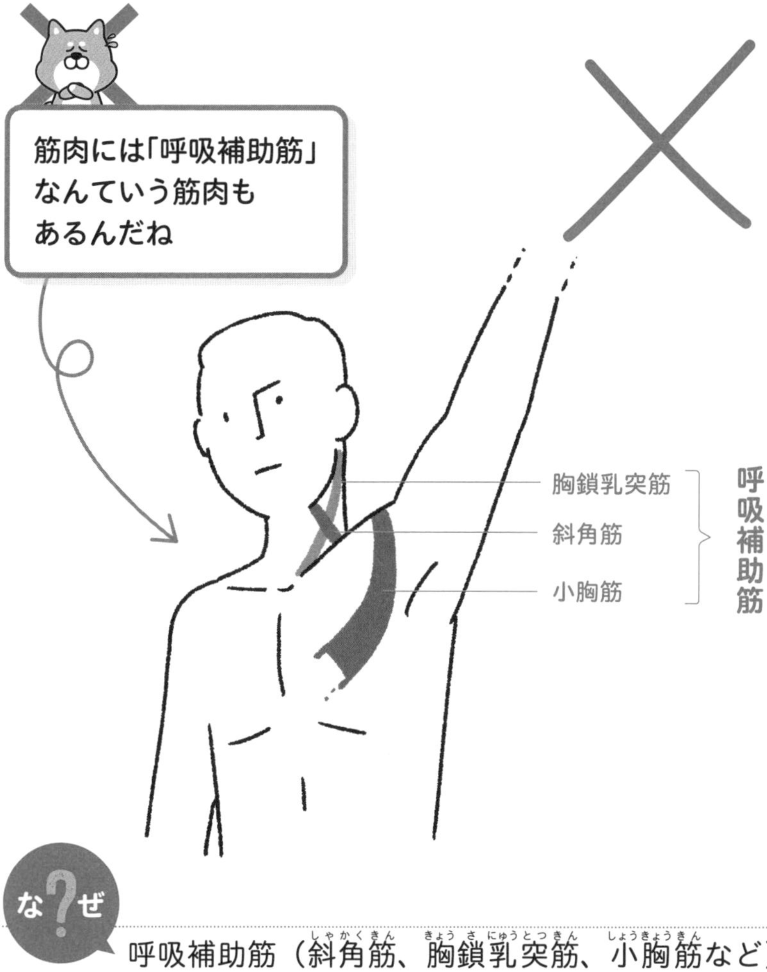
筋肉には「呼吸補助筋」
なんていう筋肉も
あるんだね
胸鎖乳突筋
斜角筋
小胸筋
呼吸補助筋

なぜ

呼吸補助筋（斜角筋《しゃかくきん》、胸鎖乳突筋《きょうさにゅうとつきん》、小胸筋《しょうきょうきん》など）は、呼吸を助ける働きと腕を上げる働きがあります。腕を上げるときには、呼吸を助ける働きを止めて、腕を上げることに集中します。そのため、呼吸能力が低下して息がはずむことになるのです。

食器の出し入れ

ここがポイントだよ！

腕を高く上げすぎなければ
呼吸補助筋が呼吸を
助ける働きを止める
こともなくなるね

ふだんよく使うものは
顔と腰の間の高さに置く

ポイント！

息切れを防ぐには、腕を高く上げないことです。そのために、ふだんよく使用するものは、顔と腰の間の高さに収まるようにしましょう。こうすれば、腕を上げすぎなくなり呼吸を妨げることを防げます。

実践

①ふだんよく使用するものを選ぶ。

②選んだものは、顔と腰の間の高さに収める。

③使用後は同じ場所に片付ける。

17

居間・台所での日常生活動作

雑巾や布巾を絞る

代表的な雑巾《ぞうきん》の絞り方は、二分されます。雑巾を縦にして絞る方法と、横にして絞る方法です。絞る力はどちらも同じように感じますが、じつは縦絞りのほうが強い力を出すことができます。

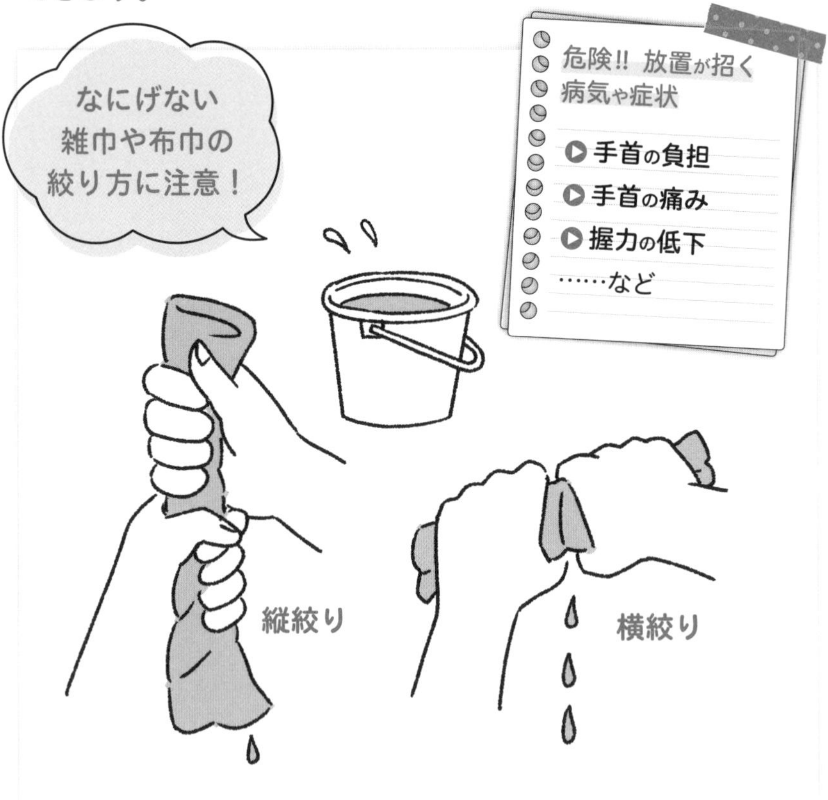

なにげない
雑巾や布巾の
絞り方に注意！
危険!! 放置が招く
病気や症状
手首の負担
手首の痛み
握力の低下
……など
縦絞り
横絞り

横絞りは
手の力だけしか
働いていないんだね
縦絞り
横絞り

なぜ？

縦絞りは、手（オレンジの矢印）と腕（薄いオレンジの矢印）の2つのねじる力を利用できるので、大きな力を出すことができます。一方、横絞りは手の力のみで、腕をねじる力を利用できないため、発揮できる力は小さくなります。さらに、横絞りの右手のように手を下へ倒すと、握るための筋肉が緩んで握力は弱くなります。強く絞るには、じつは横絞りは不利なのです。

17

居間・台所での日常生活動作

雑巾や布巾を絞る

ここがポイントだよ！
右手と左手、どちらを上下にするのがやりやすいかな？
自分のやりやすいほうで上下を決めてね
上下にする手を決める
縦に持つ

ポイント！

雑巾や布巾をしっかり絞りたいときは、雑巾や布巾を縦にして持って絞るようにします。絞りやすくなるように、上下になる手を決めましょう。

実践

①雑巾（または布巾、以下同）を握りやすいように折る。

②雑巾（布巾）を縦にして持つ。

③右手も左手も外側に向けて雑巾（布巾）を絞る。

④絞る間は、ゆっくり息を吐き続ける。

これが
体にやさしい
雑巾や布巾の
絞り方
息を吐きながら絞る
イイね!!

18

居間などでの日常生活動作

掃除機をかける

腕を振り子のように前後左右に動かして掃除機をかけると、息切れを感じることがあります。酸素を体内に取り入れる能力が衰えていると、よく経験することです。

なにげない
掃除機の
かけ方に注意！
危険!! 放置が招く
病気や症状
息切れ
疲れ
……など

掃除機をかける動作はランニングの動作と似てるんだね
反復動作はエネルギー消費量が大きい

なぜ

速く走るには、腕を前後に素早く振るトレーニングが欠かせません。腕を振る動作を速くすると、息がはずんできます。反復動作はエネルギー消費量が大きくなり、呼吸運動を活発にさせるからです。掃除機をかけるときの腕の反復動作も同じで、繰り返し腕を動かしていると呼吸に負担がかかり、息切れを感じることがあるのです。

18

居間などでの日常生活動作

掃除機をかける

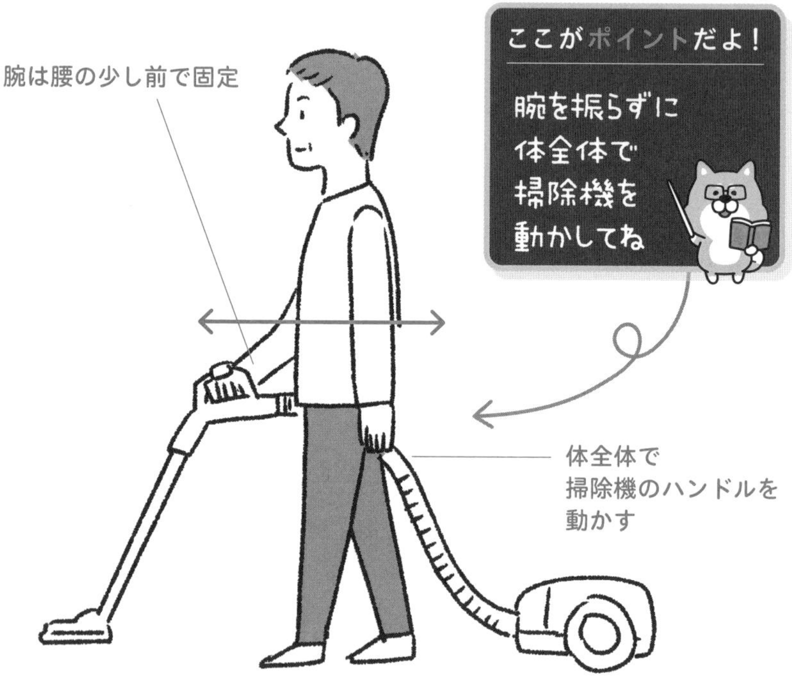
腕は腰の少し前で固定
ここがポイントだよ！
腕を振らずに
体全体で
掃除機を
動かしてね
体全体で
掃除機のハンドルを
動かす

ポイント！

息切れを防ぐには、腕を前後に動かさないようにしましょう。腰の少し前で掃除機のハンドルの位置を固定します。腕を動かさないで、体全体をリズミカルに前後に動かします。前に進むときは、一方を踏み出したら立ち止まり、腕を固定して体全体を前後に動かすことを繰り返します。

実践

①掃除機のハンドルを腰の少し前で固定する。

②一方の足を一歩前に踏み出す。

③腕を固定したまま、体全体を前後に動かす。

④1分ほど掃除機をかけたら立ち止まり、腹式による深呼吸を5回行う。

⑤掃除機をかける→深呼吸するを繰り返す。

これが
体にやさしい
掃除機のかけ方
掃除機をかける
イイね!!
立ち止まって
深呼吸する

19

居間などでの日常生活動作

洗濯物をたたむ

洗濯物をたたむとき、高齢者の多くは正座の姿勢をとりがちです。この姿勢はひざだけでなく、腰への負担を大きくし、腰痛を発症させることにつながります。

危険!! 放置が招く病気や症状
ひざの痛み
腰痛
……など
なにげない洗濯物のたたみ方に注意！

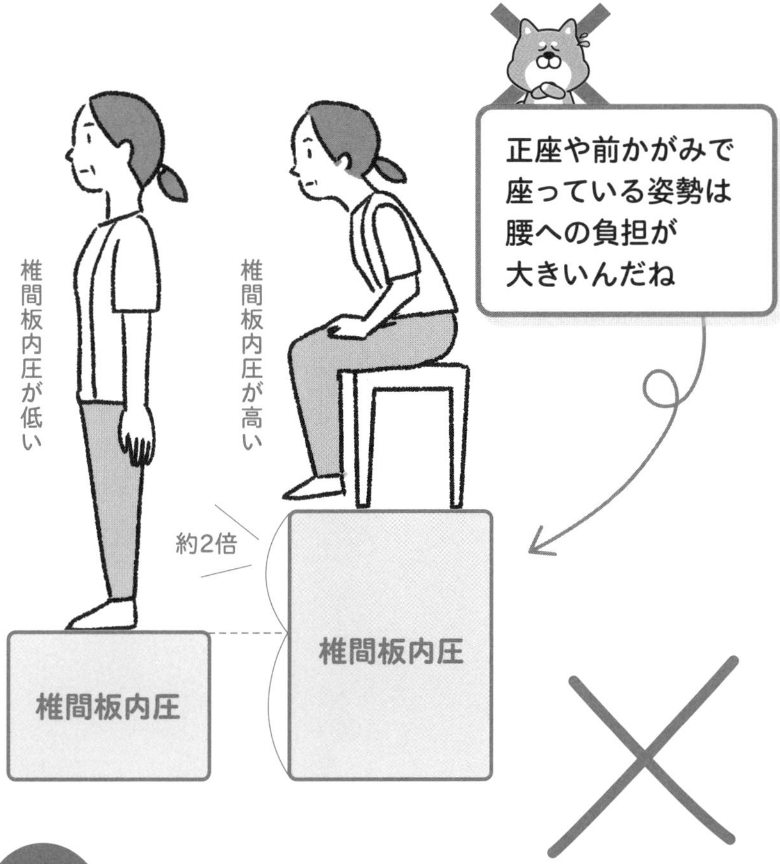
正座や前かがみで
座っている姿勢は
腰への負担が
大きいんだね
椎間板内圧が低い
椎間板内圧が高い
約2倍
椎間板内圧
椎間板内圧

なぜ

腰が受ける負担は姿勢で異なります。イスに座って上体を少し前に倒した姿勢のときの椎間板内圧《ついかんばんないあつ》（腰への負担度）は、立っているときの約2倍です。正座も、イスに座って前かがみになっているときとほぼ同じ負担が、腰にかかっていると考えられます。

洗濯物をたたむ

ここがポイントだよ！
立ってたためば
腰の負担は
軽くなるよ
立ってたたむ

ポイント！

腰の負担を軽減するには、洗濯物を机の上に置き、立ってたたみましょう。腰だけではなく、ひざの負担も小さくできます。

実践

①机の上に洗濯物を置き、立ってたたむ。

②立ち続けることがつらい人は、座面の高いイスに座る。高いイスは、ひざと腰への負担を減らす効果がある。ただし、すべり落ちないように注意すること。

これが
体にやさしい
洗濯物の
たたみ方
立つか
座面の高い
イスに座る
高いイスは、ひざと腰への負担を減らす効果があるよ！
イイね!!

20

寝室などでの日常生活動作

衣装ケースなどを運ぶ

ふだんあまり使わない衣類は、ケースに収めて押し入れなどで保管し、必要なときにケースを取り出して広げる場所まで運ぶという人も多いでしょう。しかしこの運搬が高齢者には重労働になり、腰痛の原因ともなります。

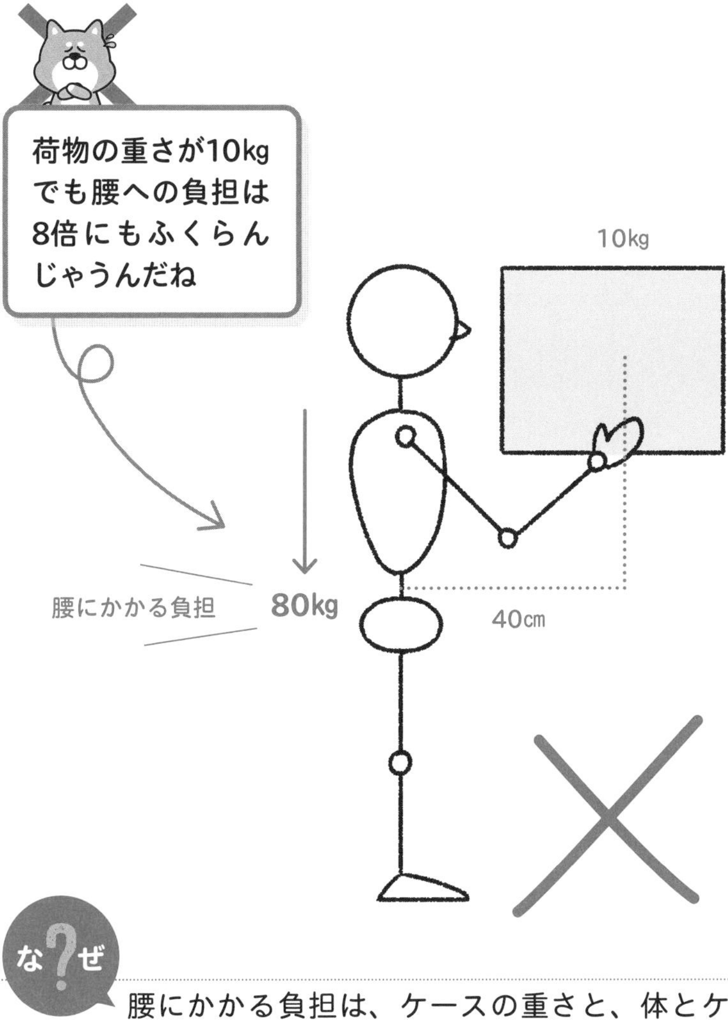
荷物の重さが10kg
でも腰への負担は
8倍にもふくらん
じゃうんだね
10kg
腰にかかる負担
80kg
40cm

なぜ？　腰にかかる負担は、ケースの重さと、体とケースの間の距離で決まります。たとえば、重さ10kgのケースを持つとき、体とケースの中心との距離が40cmだとすると、腰にかかる負担はケースの重さの8倍、80kgにもなります。

衣装ケースなどを運ぶ

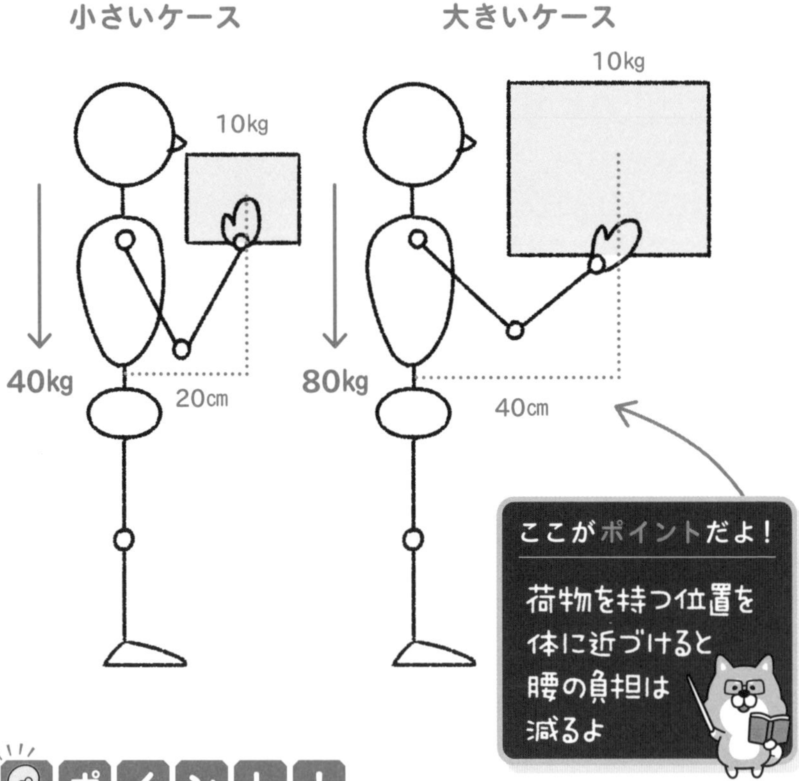
小さいケース
大きいケース
10kg
10kg
40kg
80kg
20cm
40cm
ここがポイントだよ！
荷物を持つ位置を
体に近づけると
腰の負担は
減るよ

ポイント！

衣類などをケースに収容するときは、のちのち持って運ぶことを考え、小さめのケースを選ぶようにしましょう。ケースを小さくして、体とケースの中心の距離を半分にすれば、腰にかかる負担も半分にできます。

実践

①小さめのケースを用意する。
②重くなりすぎないように注意して、ケースに衣類などを収容する。
③ケースは体から近い位置で持つようにする。

これが
体にやさしい
荷物の運び方

腰への負担を軽減するために、押し入れなどに重ねて収容するときは、軽いケースを下、重いケースを上にするといいよ！
重い
軽い
イイね!!

コラム2

ウォーキングとスクワット、どちらが先？

大事な命を一瞬で奪われるようなことは、決してあってはいけません。ところが悲しいことに、健康だと思われていた人が急激な疾患の悪化で短時間に死亡することがあります。これを「突然死」と言います。

突然死は、主に心臓と脳の病気で起きます。そして、心臓や脳の病気を招く主な原因の1つは、体脂肪の過剰な蓄積です。厚生労働省や医療機関などが、体脂肪を増やしすぎないように注意を促している背景には、突然死の予防があるのです。

体脂肪の過剰蓄積を防ぐには、大量の体脂肪を燃料として利用するウォーキングを行うことが推奨されています。ところが、これまでは「ウォーキングを行う」ということだけが強調されていま

した。しかし、東京大学名誉教授の石井《いしい》直方《なおかた》氏の長年の研究から、「筋力トレーニング→ウォーキング」の順序で行うと、体脂肪燃焼が促進されることがわかったのです。

石井氏が注目したのは成長ホルモンの分泌量です。「筋力トレーニング→ウォーキング」の順に運動すると、その逆の場合に比べて成長ホルモンの分泌量が5倍に増えることを発見しました。成長ホルモンは、体脂肪を燃焼させる効果を高めます。体脂肪の燃焼が促進されれば、その結果として突然死を防ぐ効果が期待できるのです。

与えられた人生を全うするために、スクワットや腕立て伏せなどの筋力トレーニングを10分ほど行い、その後にウォーキングを行うようにしましょう。

21

室内での日常生活動作

電球交換

高い位置にある電球を替えるとき、つま先立ちになることは高齢者にとってたいへん危険です。ふらついて転倒することがあるからです。イスなどにのれば、転落事故に遭う可能性が高まってしまいます。

!!
なにげない
電球交換に
注意！
危険!! 放置が招く
病気や症状
転倒・転落
転倒・転落に
よるケガ
……など

片足で立ったり
つま先で立ったりすると
ふらつきやすいよね

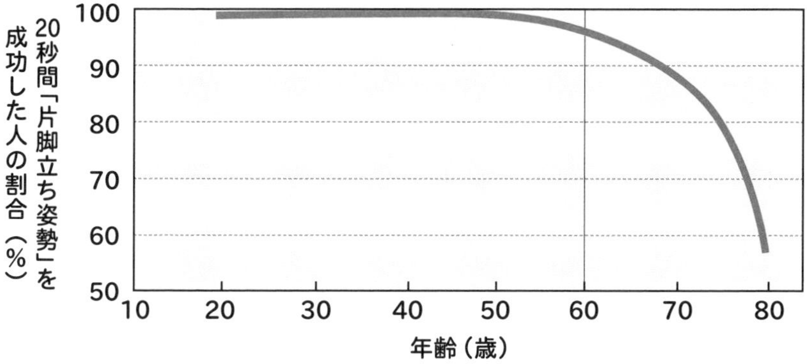

＊「ロコモ予防教室関連の測定データ紹介（片脚立ちバランス）」公益財団法人 横浜市スポーツ協会 横浜市スポーツ医科学センターより

な?ぜ

高齢になるほど安定した姿勢を維持することが難しくなるのは自然なことです。上図は20秒間「片脚立ち姿勢」を成功した人の割合です。60歳を過ぎると成功する人は激減し、高齢になると安定した姿勢を保持することが難しくなることがわかります。

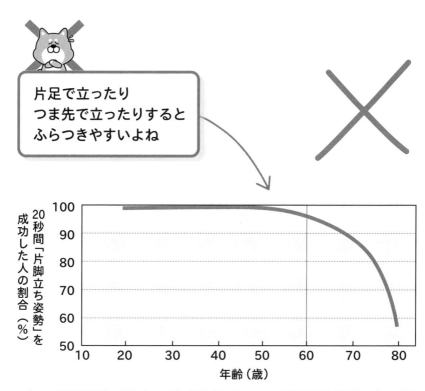

21

室内での日常生活動作

電球交換

無理なく
手の届く範囲に
ここがポイントだよ！
かかとをつけた
ままで手の届く
範囲にしてね

ポイント！

電球を交換するのは、つま先立ちをしたり、イスなどにのらなくても手が届く範囲にとどめましょう。電球交換で転倒・転落して大ケガをすることを避けるほうが賢明です。

実践

高齢者にとって、手が届かない電球交換はできるだけ自分で行わないことが一番の転倒予防策です。サポート事業として電球交換を認めている自治体もあります。商品を購入することを条件に、電球交換作業を請け負ってくれる電気店もあります。電球交換を依頼できる窓口を見つけておきましょう。

これが
体にやさしい
電球交換の方法
手の届かないところは
人に頼む
無理をして大ケガをするより、ときには人に頼ることも大事だよ！
イイね!!

22

さまざまな場所での日常生活動作

スマホの画面を見る

スマホの画面をしっかり見ようとすると、思わず頭が前に突き出してあごを胸のほうへ引き寄せるようになります。この姿勢が習慣になってしまうと、首と肩のこりや痛み、頭痛、猫背、腰痛などの不調が引き起こされてきます。

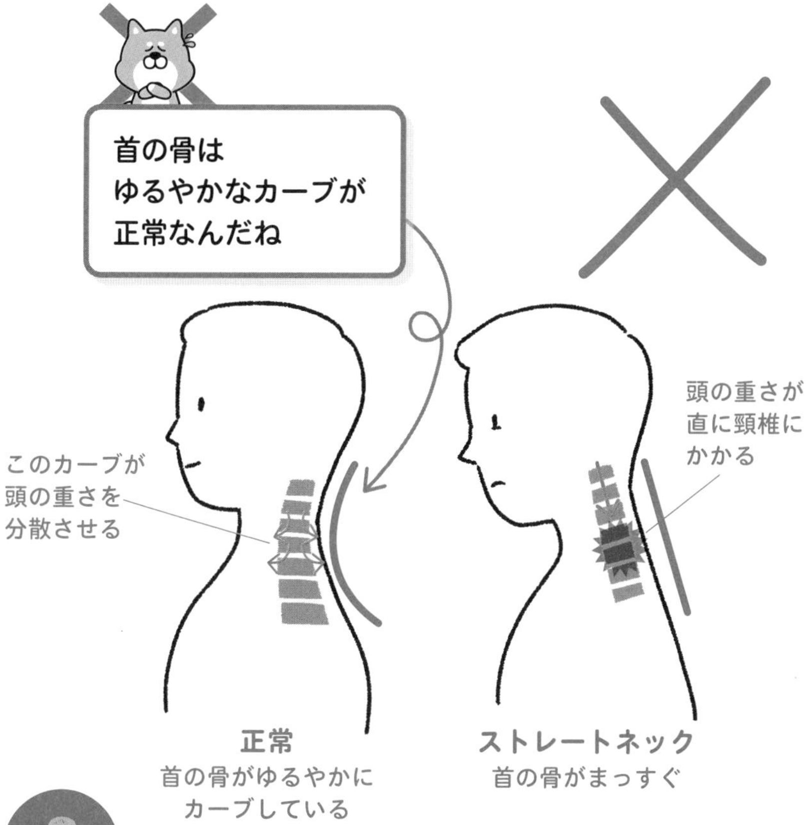
首の骨は
ゆるやかなカーブが
正常なんだね
このカーブが
頭の重さを
分散させる
頭の重さが
直に頸椎に
かかる
正常
首の骨がゆるやかに
カーブしている
ストレートネック
首の骨がまっすぐ

なぜ

頸椎《けいつい》（首の骨）はゆるやかにカーブしているのが正常です。ところが、頭を前に突きだし、あごを胸に引き寄せる姿勢が習慣になると、頸椎のカーブはなくなり、まっすぐになってきます。この状態を「ストレートネック」と呼びます。頸椎がまっすぐになると、頭の重さを支えるのに大きな力が必要となり、不調が起きてくるのです。

22

さまざまな場所での日常生活動作

スマホの画面を見る

ここがポイントだよ！
頭はまっすぐ立てて
スマホは
目の高さで
見ようね
スマホは
目の高さに
頭はまっすぐ
立てる

ポイント！

ストレートネックを防ぐには、頭をまっすぐに立てて、頭を前に突き出さないようにすることです。そのためには、スマホは目の高さで利用するとよいでしょう。

実践

①頭を垂直に立てる。

②目の高さにスマホの画面がくるように、スマホを保持する。

③スマホを持つ側のわきの下で反対側の手をはさむと、スマホを持っている腕の疲れを防ぐことができる。

これが
体にやさしい
スマホの見方
イイね!!
スマホは
目の高さに
手の甲を前にして
わきの下にはさむ

くしゃみ

くしゃみは、爆発的に一気に息を吐き出すのが特徴です。反射で起きるので、意識的に止めることはできません。たった1回のくしゃみで、腰に激しい痛みを感じ、「ぎっくり腰」になることがあります。欧米では、これを「魔女の一撃」と呼んでいます。

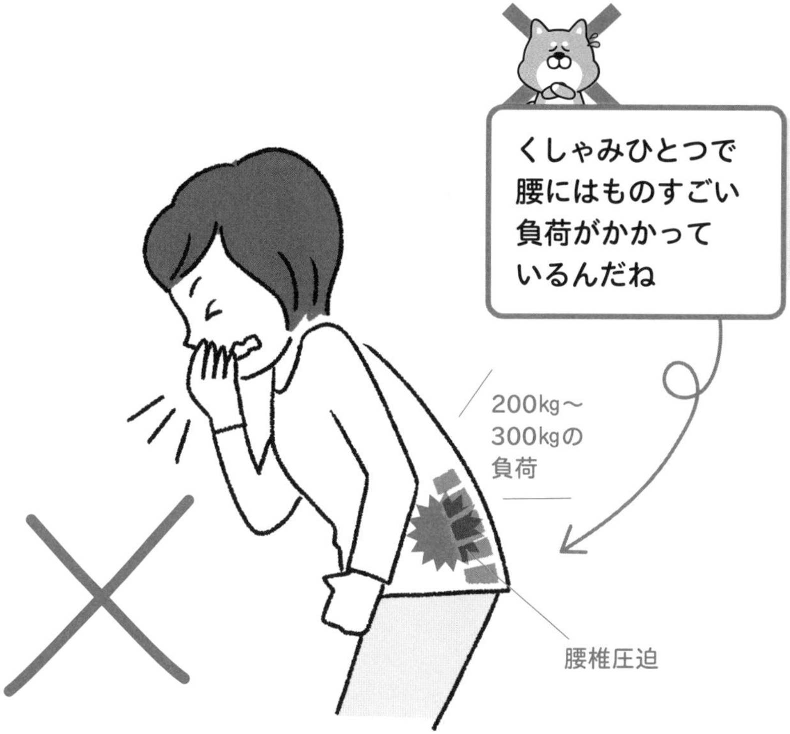
くしゃみひとつで
腰にはものすごい
負荷がかかって
いるんだね
200kg～
300kgの
負荷
腰椎圧迫

なぜ

くしゃみをすると腹筋（腹直筋）が強く収縮します。腹筋の収縮により、上半身は急激に前に倒れます。このとき、腰には200kgから300kgという大きな力が加わります。この力によって腰部の椎間板《ついかんばん》が強く圧迫され、痛みが発生するのです。骨が弱くなっている高齢者では、腰椎《ようつい》の前側が圧迫されて骨折することさえあります。

23

さまざまな場所での日常生活動作

くしゃみ

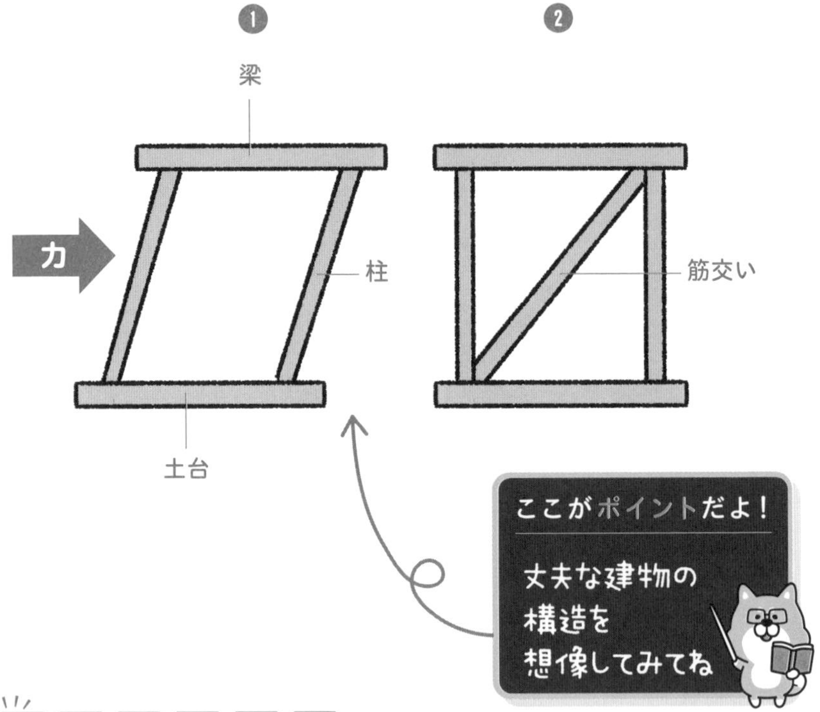

1
2
梁
力
柱
筋交い
土台
ここがポイントだよ！
丈夫な建物の
構造を
想像してみてね

ポイント！

❶のように土台と柱と梁《はり》だけの家は、横から力が加わると簡単に倒れます。ところが、❷のように「筋交《すじか》い」を通すと倒れることはありません。くしゃみをするときも同じで、筋交いをつくって上半身が急激に前に倒れないようにすれば、腰痛を防ぐことができます。

実践

【座っている場合】

①一方の手を口に当てる。

②もう一方の手をひざの上に置いて腕を伸ばす。この腕が「筋交い」になる。

③できるだけ静かにくしゃみをする。

【立っている場合】

①一方の手を口に当てる。

②もう一方の手をテーブルや壁につけて、腕を伸ばす。この腕が「筋交い」になる。

③できるだけ静かにくしゃみをする。

座っている場合
自分のひざの上に手を置く

立っている場合
机や壁に手をつく

24

さまざまな場所での日常生活動作

ものを拾う

床に落ちているものを拾うとき、たいていは中腰姿勢で腰を中心に上体を前に深く倒して拾い、そして体を起こします。このとき、腰を傷めることがあります。

中腰は知らぬ間に
関節を固定
しちゃってるんだね
痛み
動きにくくなる関節

なぜ

中腰は不安定な姿勢です。そのため姿勢を安定させようと、無意識に股関節、ひざ関節、足関節を固定します。これらの3つの関節の動きが制限されると、腰で体を支えるようになります。その負担が腰痛を引き起こすのです。床にあるものを拾うとき、高齢者ほど中腰姿勢になりがちなので注意が必要です。

ものを拾う

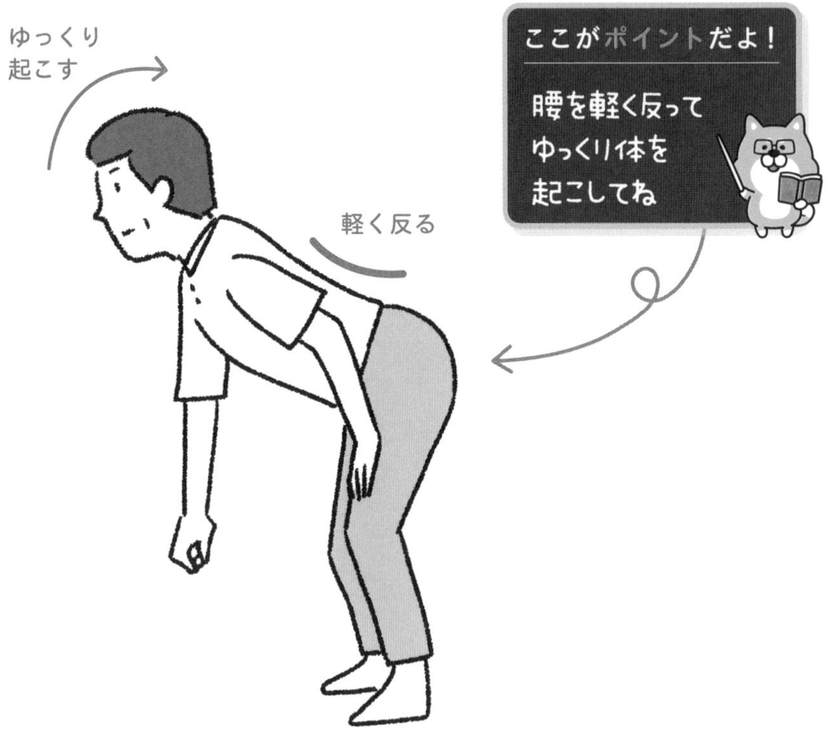
ゆっくり
起こす
軽く反る
ここがポイントだよ！
腰を軽く反って
ゆっくり体を
起こしてね

ポイント！

腰を傷めないためには、腰を軽く反って、上体をゆっくり起こすことがポイントです。この動作は、腰への負担を軽減し、腰痛の発症を防ぐ効果があります。

実践

①ひざを少し曲げて、上体を前に倒し、床の上にあるものを拾う。
②上体を少し起こしたら、腰をわずかに反らす。
③腰を反らしたまま上体を起こしていき、ゆっくり直立姿勢になる。

これが
体にやさしい
ものの拾い方
イイね!!
1
2
3

25

玄関などでの日常生活動作

立つ

玄関口で来客と立ったまま話が長くなることがあります。このとき、注意したいのは足元です。じつは、両足を揃えるのは疲れやすい立ち方なのです。電車やバス、レジなどで待つとき、両足を揃えて立つことが習慣になっていると、知らぬうちに疲労がたまってくることがあります。

なにげない
立ち方に注意！
両足を
揃えて立つと
疲れやすい
危険!! 放置が招く
病気や症状
疲労
ひざの痛み
足の痛み
……など

ただ立ってるだけでも
体は揺れていて
筋肉に負荷が
かかっているんだね

立位時の体の揺れ

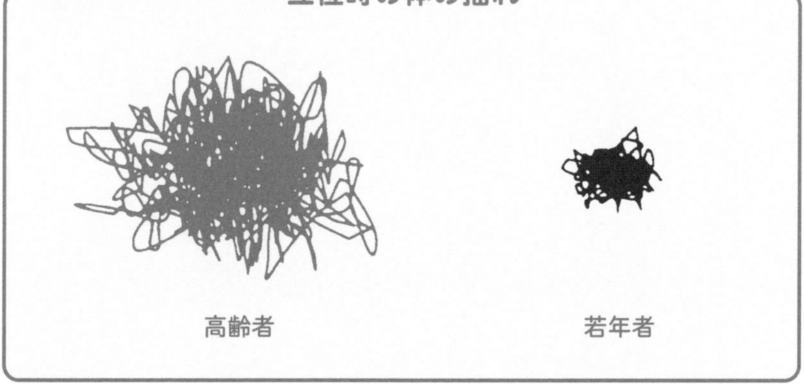

＊著者作成資料（2002年）より

なぜ

静かに立っているつもりでも、体は絶えず揺れています。若いころは、体の揺れはわずかです（上図右）。ところが、高齢になるにつれて体の揺れは大きくなります（上図左）。体の揺れが大きいほど、体を支える筋肉の活動も増大します。その結果、筋肉疲労が起こってくるのです。

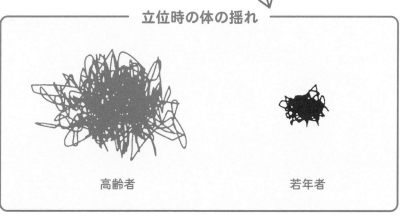

立つ

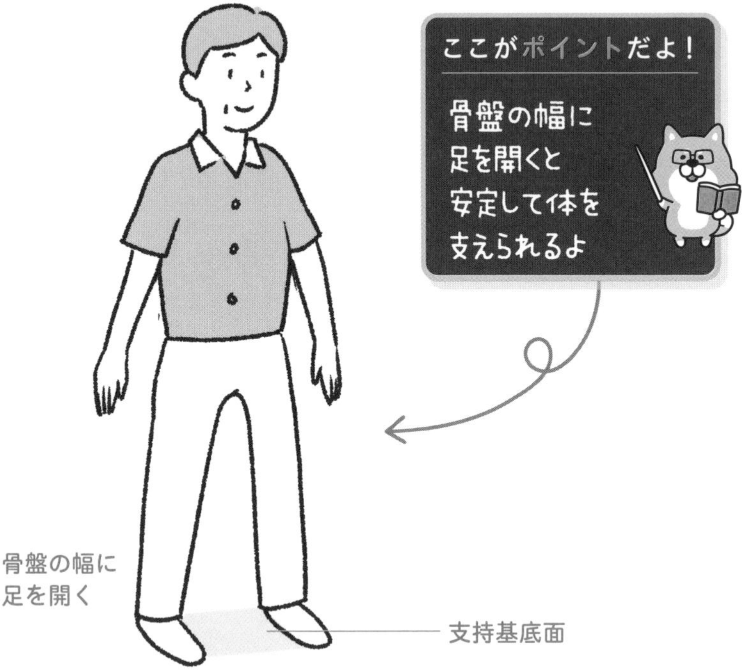
ここがポイントだよ！
骨盤の幅に
足を開くと
安定して体を
支えられるよ
骨盤の幅に
足を開く
支持基底面

ポイント！

立ち続けなければならないときには、体の揺れが小さくなるような立ち姿勢をとりましょう。そのためには、安定して体を支えられる面（支《し》持《じ》基《き》底《てい》面《めん》）を広くします。骨盤の幅で両足を横に開くと、支持基底面は広くなり、体の揺れが少ない立ち姿勢を維持できます。

実践

①両足を骨盤の幅で横に開く。

②体全体をほんの少し前に倒す（高齢者は重心がかかと寄りになっていることが多く、不安定なため。足の指先で体重を受けるような感じで立つ）。

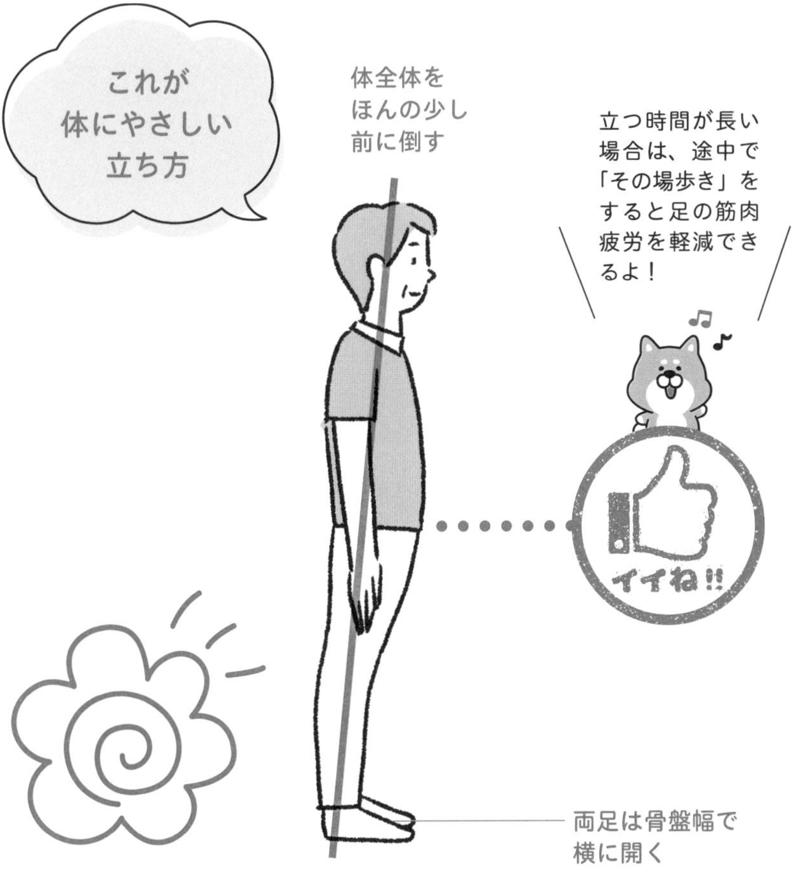
これが
体にやさしい
立ち方
体全体を
ほんの少し
前に倒す
立つ時間が長い
場合は、途中で
「その場歩き」を
すると足の筋肉
疲労を軽減でき
るよ！
イイね!!
両足は骨盤幅で
横に開く

26

玄関などでの日常生活動作

靴を履く・脱ぐ

靴を履いたり脱いだりすることが面倒になると、サンダルを履いたり、靴のかかと部分を踏みつぶして履いたりしてしまいがちです。

危険!! 放置が招く病気や症状
つまずく
転倒
足の疲れ
……など
なにげない靴の履き方・脱ぎ方に注意！

サンダルを履く

靴のかかと部分を踏みつぶして履く

靴を履くのが
面倒になるのは
体が変化している
サインでもあったんだね
体が硬くなる
体を前に倒す
筋肉が弱くなる

なぜ

座って靴の中に足を完全に収めて履くときは、上体を前に倒して屈みこんだ姿勢になります。高齢になると体が硬くなり、上体を前に倒す筋肉が弱くなるので、靴を履くための姿勢をとることが難しくなるのです。

靴を履く・脱ぐ

ここがポイントだよ！
長めの靴ベラがあれば靴をするりと履けるよ
長い靴ベラ

ポイント！

自力で靴を履くためには、長い靴ベラを利用します。上体を傾けたりひざを曲げたりしなくても、靴ベラの先が床につくほどの長さのものを選びましょう。

実践

【靴を履くとき】

①靴ベラを足のかかと部分と靴の後ろ側の間に差し込む。

②かかと部分を靴ベラの表面にすべらすように、足を靴の中に入れる。

【靴を脱ぐとき】

①靴ベラを足のかかと部分と靴の後ろ側の間に差し込む。

②かかと部分を靴ベラの表面にすべらすように、足を靴から引き出す。

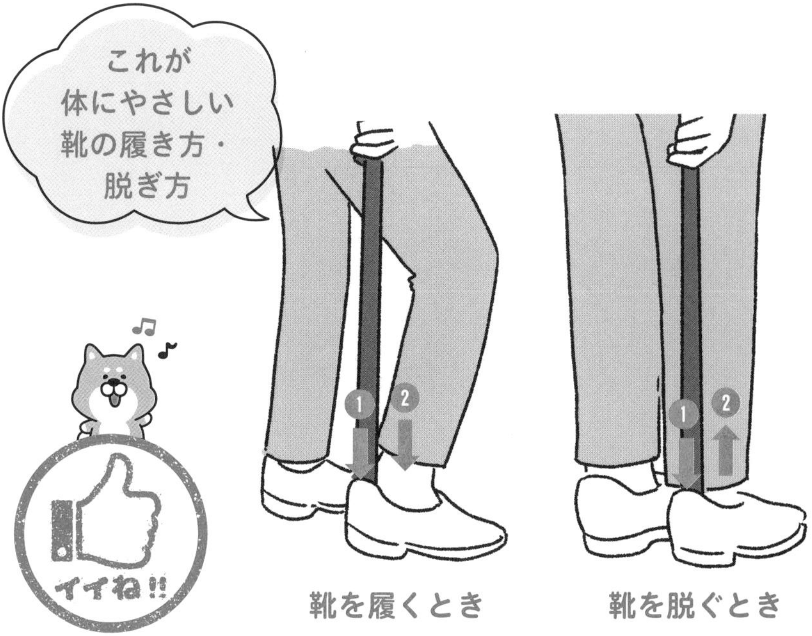
これが
体にやさしい
靴の履き方・
脱ぎ方
イイね!!
1
2
1
2

靴を履くとき　　靴を脱ぐとき

27

庭での日常生活動作

草むしり

草むしりなどをするとき、腰とひざを深く曲げ、上体を前に倒した姿勢で作業を行うと、腰やひざに大きな負担をかけることになります。場合によっては、強い痛みを伴うこともあります。

**しゃがむ姿勢は
腰とひざに
大きな負担が
かかっているんだね**

なぜ

しゃがんだ姿勢になると骨盤は後ろへ倒れます。そうすると、腰にある背骨は丸くなって圧迫されます。その圧迫が強いと腰の痛みが起きます。ひざ関節と骨盤をつないでいる筋肉は、骨盤が後ろへ倒れると引き伸ばされます。その引き伸ばしが強いと、ひざ関節に大きな負担がかかり、ひざの痛みが生じるのです。

27

庭での日常生活動作

草むしり

骨盤の後ろへの倒れ方が大きい
＝圧迫が強い

骨盤の後ろへの倒れ方が小さい
＝圧迫が弱い

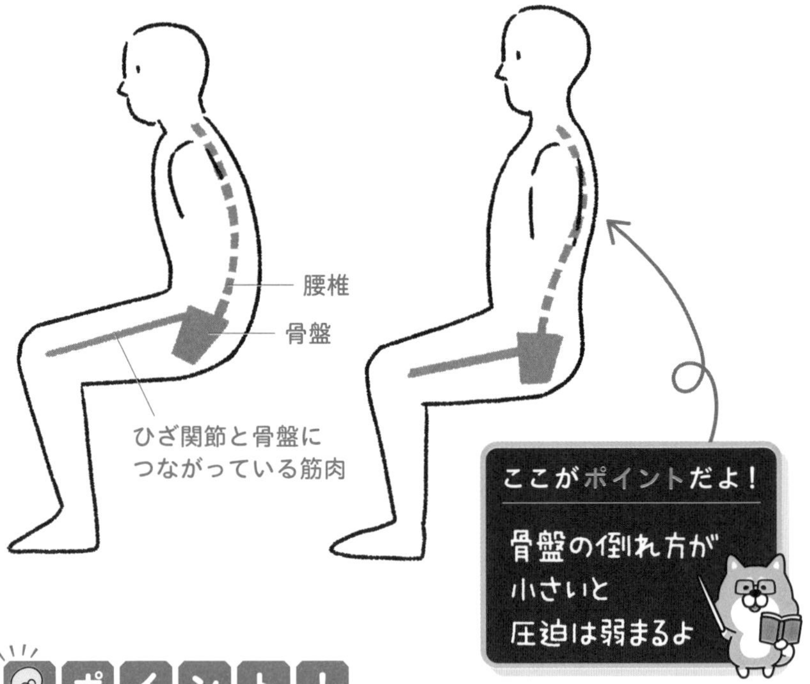
腰椎
骨盤
ひざ関節と骨盤に
つながっている筋肉
ここがポイントだよ！
骨盤の倒れ方が
小さいと
圧迫は弱まるよ

ポイント！

上の絵の左のように骨盤が後ろへ大きく傾くと、腰椎《ようつい》の部分が丸くなり圧迫が強くなります。それを防ぐには、右のように背中を伸ばし、腰をやや反らすようにすると、腰椎の丸みは軽減され、圧迫も弱くなります。

実践

①片ひざ立ちになる。

②ひざを立てた側の腕は、ひざの上に置く。

③腰をやや反らすように意識しながら、上体を前に倒す。

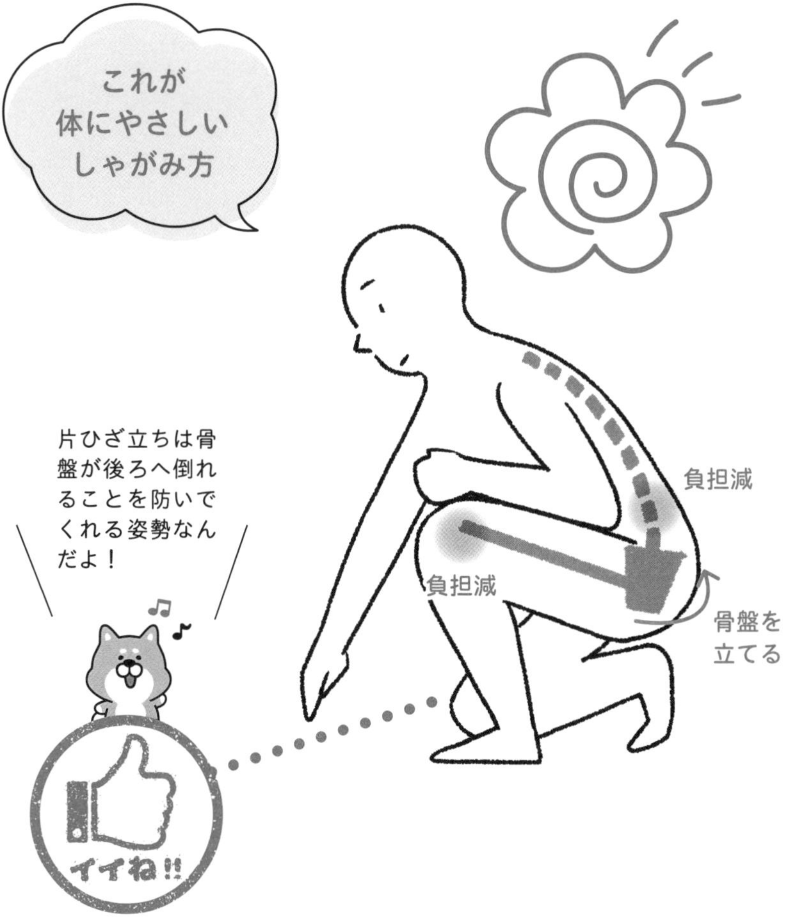
これが
体にやさしい
しゃがみ方
片ひざ立ちは骨盤が後ろへ倒れることを防いでくれる姿勢なんだよ！
負担減
負担減
骨盤を
立てる
イイね!!

28

移動での日常生活動作

杖を使う

下の絵にある5つのチェック項目を見てください。当てはまる項目が多い人は、室外や室内での移動では、杖を使うことを考えてみましょう。

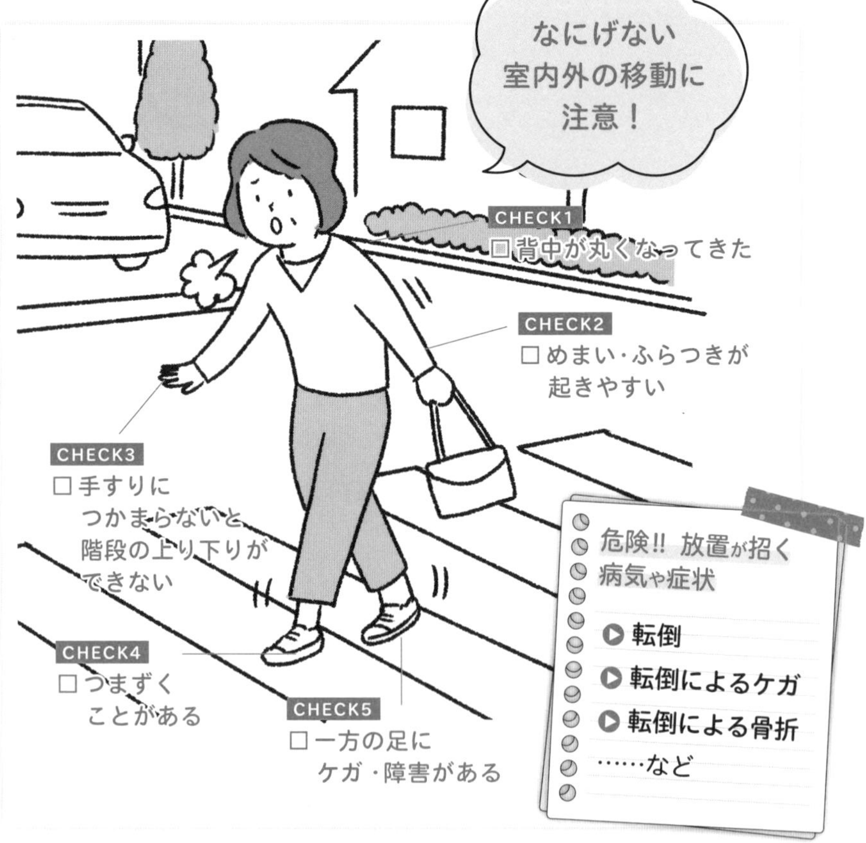

5つのチェック項目は
転倒の危険性の
チェック
だったんだね

5つのチェック項目で、
チェックが多くついた場合
は転倒の危険性が高い

なぜ

じつは、右ページのチェック項目は、転倒しやすいかどうかをチェックするためのものなのです。該当する項目が多い人は、室外でも室内でも、移動のときに転倒する危険性が高いので、予防方法を早めに考えておくほうがよいでしょう。

28

移動での日常生活動作

杖を使う

ここがポイントだよ！
杖は転倒や
寝たきりの予防に
なるんだね
杖で転倒のリスクを回避

ポイント！

高齢者にとって転倒は、ケガをするだけではなく、要介護になる危険性を高めます。歳を重ねるほど、用心に用心を重ねるくらいのほうが、安全性を得られます。心配な人は、室外・室内の移動では杖を利用しましょう。まさに「転ばぬ先の杖」です。

実践

①持ち手がT字型の杖を選ぶ。

②杖の高さは、垂直に立てたときに、握りの部分が太ももものつけ根あたりがよい。

③人差し指と中指の間に杖をはさんで握る。

④一方の足に痛みや障害があるときは、痛みや障害がない側の手で杖を持つ。

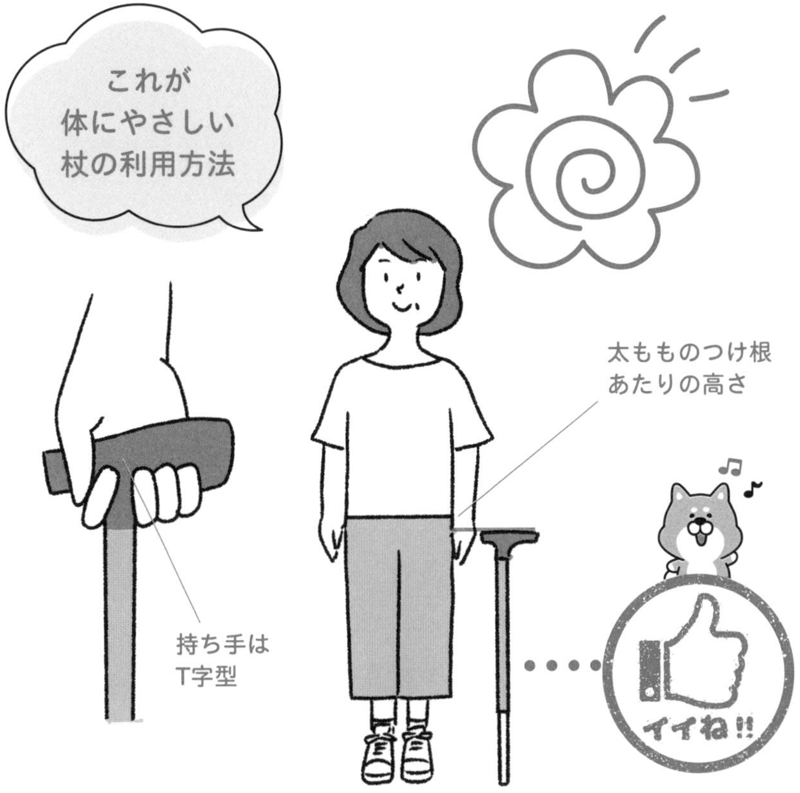
これが
体にやさしい
杖の利用方法
持ち手は
T字型
太ももものつけ根
あたりの高さ
イイね!!

握り方　　杖の高さ

29

スーパーマーケットでの日常生活動作

持ち手が細い袋を持つ

持ち手の部分が細い袋を持つとき、持ち手が手の指に食い込んでしびれたり、痛くなったりすることがあります。プラスチック製のレジ袋を持つときによく起きるので、こういったしびれや痛みを「レジ袋麻《ま》痺《ひ》」と呼ぶことがあります。

なにげない
袋の持ち方に
注意！
危険!! 放置が招く
病気や症状
指のしびれ
指の痛み
……など

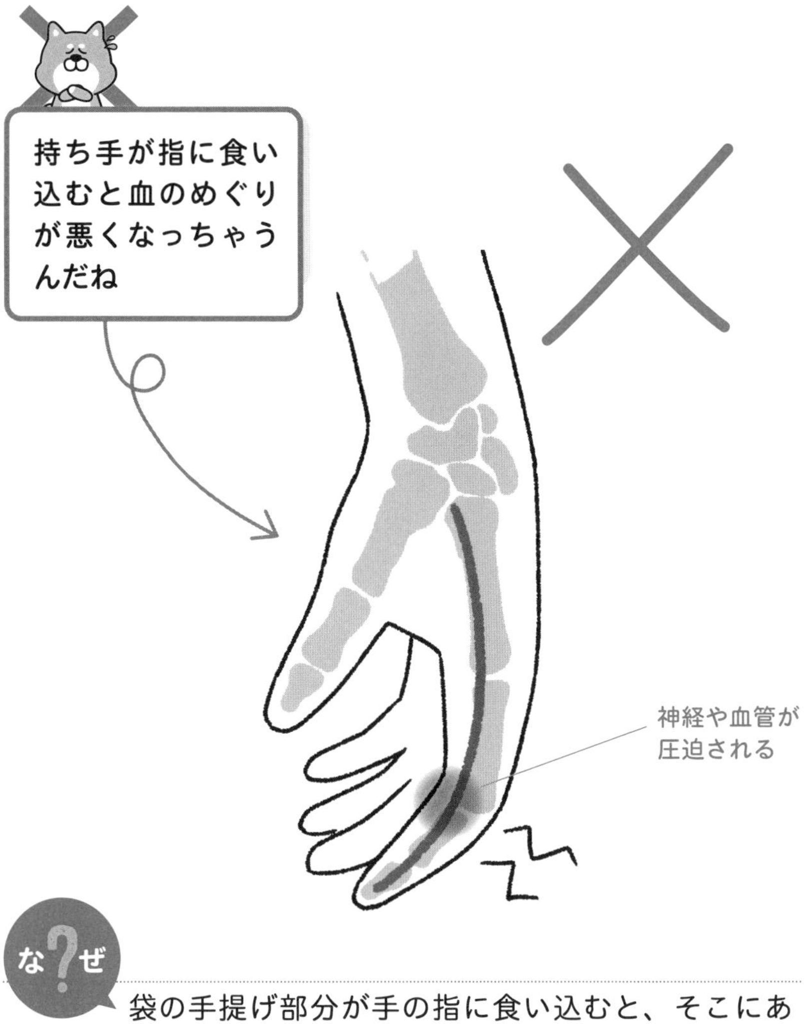
持ち手が指に食い込むと血のめぐりが悪くなっちゃうんだね
神経や血管が圧迫される

なぜ

袋の手提げ部分が手の指に食い込むと、そこにある神経や血管を押しつけます。神経が強く押されると痛みを感じます。血管が強く押されると血液が十分に運ばれなくなり、痛みを生じるようになるのです。

29

スーパーマーケットでの日常生活動作

持ち手が細い袋を持つ

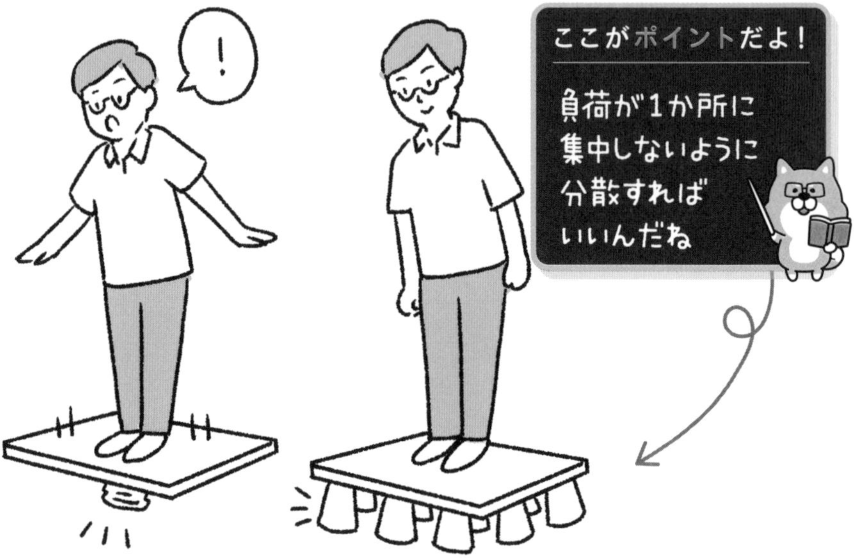
!
ここがポイントだよ!
負荷が1か所に
集中しないように
分散すれば
いいんだね

つぶれる　　　つぶれない

ポイント!

たとえば体重60kgの人が、紙コップ1個の上にのれば紙コップはつぶれます。ところが、紙コップを9個並べた上にのると、紙コップはつぶれません。60kgの体重が9個に分散され、1個当たりを押す力は約7kgに激減するからです。同じように、手の指にかかる力を分散すれば、しびれや痛みを感じなくなります。

実践

①厚めのハンカチを用意する。
②ハンカチを折りたたんで、袋の手提げ部分と手の指の間に入れる。
③ハンカチで重さを受けながら、袋を持つ。

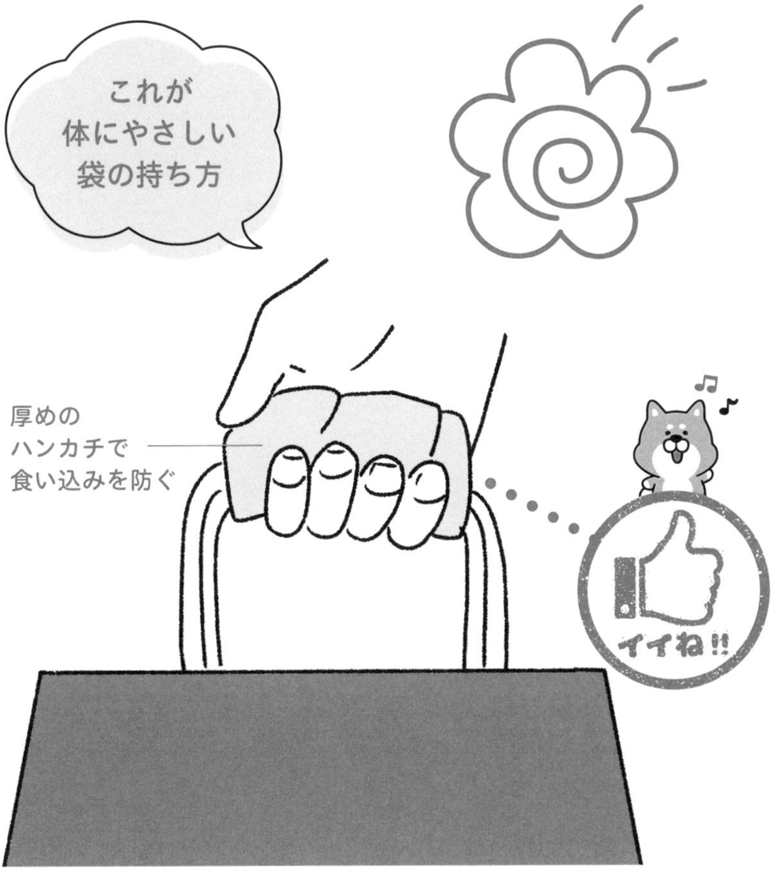
これが
体にやさしい
袋の持ち方
厚めの
ハンカチで
食い込みを防ぐ
イイね!!

30

スーパーマーケットでの日常生活動作

分けて持つ

複数のものを1か所にまとめると、扱いやすくなります。食品もそうで、1つの買い物袋に詰め込めば、持ち運びは容易になります。ところが、「一利あれば一害あり」で、よいことがある半面、害になることもあるのです。1つの袋にまとめて持つと、腰を傷めることがあります。

なにげない
荷物の持ち方に
注意！
!!
ーパー
危険!! 放置が招く
病気や症状
腰痛
背中の痛み
……など

体が傾いた状態が続くと腰が圧迫されちゃうんだね
!!
荷物を持っていない側に傾く
圧迫されて腰に負担

なぜ

1つの買い物袋を持つと、その重さに耐えられるように上体を横へ倒します。倒れた側の腰は強く圧迫され、圧迫が限界を超えると痛みを感じるようになります。

30

スーパーマーケットでの日常生活動作

分けて持つ

ここがポイントだよ!
左右の荷物を
均等にすれば
体は
傾かないよ
上体を
垂直に保つ
荷物は二等分に

ポイント!

腰への負担を軽減するには、同じ重さになるように食品を2つに分けて持ちましょう。こうすれば、上体を垂直に保つことができ、腰部に加わる重量を均等に分散でき、腰への負担を軽くすることができます。

実践

①買い物袋を２つ用意する。

②食材などを同じ重さになるように、２つの袋に収める。

③上半身を垂直に立てて、それぞれの手で袋を持つ。

④袋をなるべく揺らさないようにして移動する。

これが
体にやさしい
荷物の持ち方
イイね!!
食材などを
2つに分ける

コラム3
COLUMN

ユルユル、キビキビ、ポカポカ

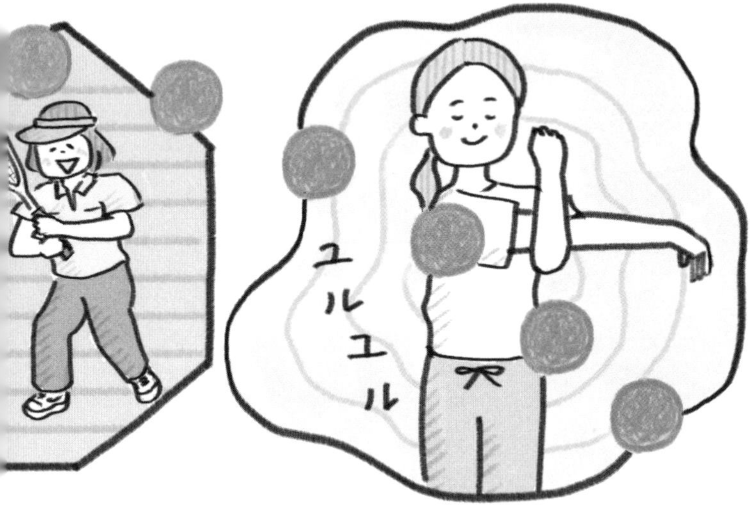

血圧は朝から昼にかけて上昇し、夕方から夜にかけて下がります。わたしたちの体の多くの働きは血圧と同じように、リズミカルに上昇と下降を繰り返しています。このリズムをつくり出しているのは、脳内の視《し》床《しょう》下《か》部《ぶ》にある「生体時計」です。

近年、生体時計と運動効果の関係に注目した「時間運動学」という分野が発展してきました。この学問からわかったことは、運動を行う時間帯によって期待できる運動効果は異なり、運動方法も変えるのがよい、ということです。

朝の運動は、脳を目覚めさせて、一日を活力あふれたものにするために行います。体をユルユルとゆったり動かすと運動効果が高まります。3分間ほど軽めのストレッチングを行いましょう。

　昼から夕方にかけての運動は、体力の維持・増進のために行います。キビキビと元気よく筋力トレーニング、ウォーキング、スポーツなどにチャレンジしましょう。

　夜の運動は、寝つきをよくするために行います。眠りにつく30分ほど前に、体がポカポカするまで体を動かします。「ラジオ体操第1」など全身を動かす運動がお勧めです。人の体は、運動で高まった体温が下がるときに眠りやすくなります。運動後は寝床で静かに横になりましょう。

　このように、朝は「ユルユル」、昼は「キビキビ」、夜は「ポカポカ」と体を動かすことが、通常のサイクルで生活する人には、お勧めの運動方法なのです。

31

浴室での日常生活動作

浴槽でお湯につかる

厚生労働省の「人口動態統計」（2021年）によると、高齢者が浴槽内で溺《おぼ》れて死亡する人の数は、交通事故死亡者数のおよそ2倍です。高齢者にとって、浴槽でお湯につかるのは決して気楽なことではありません。

とくに食事の直後は
避けたほうが
いいんだね
血圧
低下
熱中症
心臓
負担

なぜ

入浴中に発汗量が増えると熱中症になります。食事の直後に入浴すると、血圧低下（食後低血圧）が起きます。また、下肢からの静脈血が増え、心臓負担が増大します。こういったことが原因となって、意識障害が生じ、溺れやすくなるのです。

31

浴槽でお湯につかる

ここがポイントだよ！
熱いお湯に
10分以上
つかるのは
避けてね
湯の温度＝41度以下
時間の目安＝10分まで

ポイント！

お湯の温度は41度以下、お湯につかる時間は10分までを目安にします。高齢になったら、熱めのお湯に長時間つかるのは避けましょう。

実践

①手すりや浴槽の縁に手を置いて体を安定させる。

②みぞおちからわきの下のあたりまでをお湯につける。

③お湯につかっている間、ゆっくり呼吸することを続ける。

32

浴室での日常生活動作

湯を汲む

お湯を汲《く》むとき、湯おけの上側の縁に手の親指を当てて持つと、親指のつけ根の関節を傷めたり、関節の動きが悪くなったりすることがあります。

危険!! 放置が招く
病気や症状
指の痛み
指関節の損傷
……など
なにげない
湯おけの
持ち方に注意！

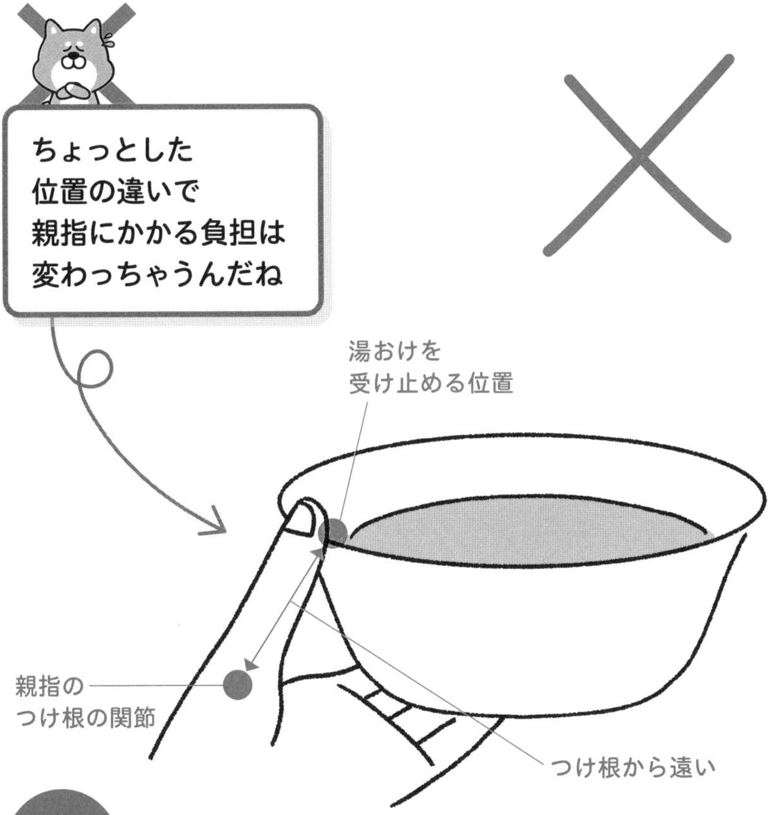
ちょっとした
位置の違いで
親指にかかる負担は
変わっちゃうんだね
湯おけを
受け止める位置
親指の
つけ根の関節
つけ根から遠い

なぜ

湯おけを持つとき、手の親指の関節が受ける負担は、湯おけを親指のどの位置で受け止めているかによって決まります。湯おけを受け止める位置が親指のつけ根の関節から遠いほど、関節への負担は大きくなります。つまり、親指の先で湯おけを受け止めると、親指が受ける負担は最大になるのです。

湯を汲む

ここがポイントだよ！

親指のつけ根の
近くで持つと
関節の負担は減るよ

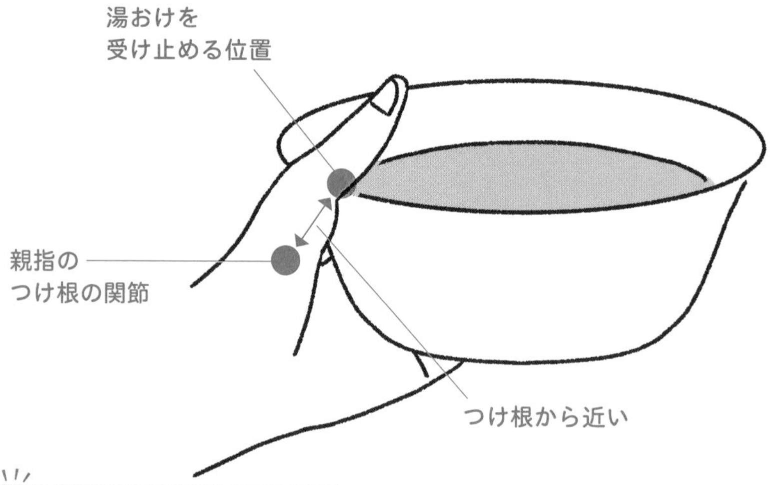

ポイント！

湯おけを受け止める位置が親指のつけ根に近いほど、親指の関節への負担は小さくできます。親指の関節を傷めないためには、できるだけ親指のつけ根の近くで、湯おけを受け止めましょう。

実践

①湯おけの上側の縁を、親指のつけ根に当てる。

②親指を伸ばしておくと、関節への負担を軽減できる。

③親指以外の指で、湯おけの下を支える。

④この状態で、湯おけでお湯を汲む。

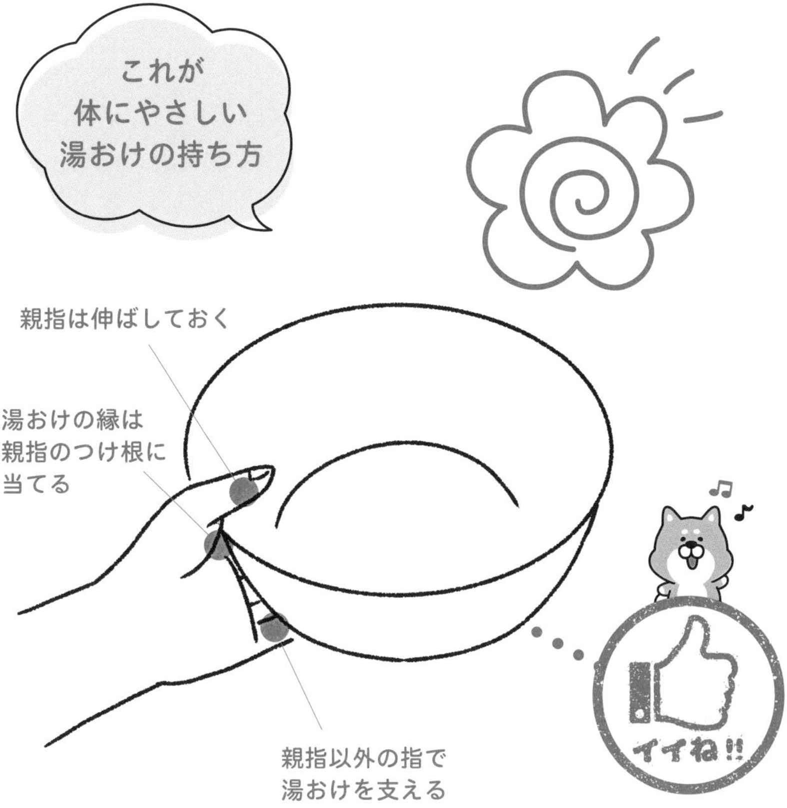
これが
体にやさしい
湯おけの持ち方
親指は伸ばしておく
湯おけの縁は
親指のつけ根に
当てる
親指以外の指で
湯おけを支える
イイね!!

33

浴室での日常生活動作

入浴後の立ち上がり

浴室は、高齢者が事故に遭いやすい場所です。高齢者の入浴時の事故には、溺水、転倒、外傷などがあり、とくに溺水は命を奪う危険があります。事故を起こす原因の1つは、お湯から勢いよく立ち上がることです。

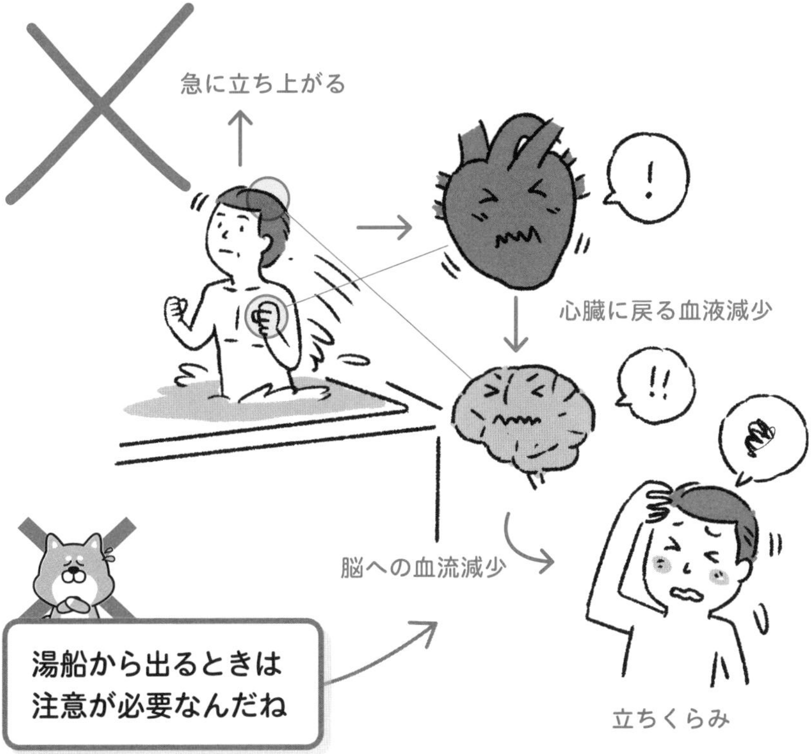
急に立ち上がる
!
心臓に戻る血液減少
!!
脳への血流減少
立ちくらみ
湯船から出るときは
注意が必要なんだね

なぜ

体がお湯の中にある間は、お湯が体を押しつけています。その状態から急に立ち上がると、お湯によって圧迫されていた血管は一気に拡張し、心臓へ血液を送る働きが弱くなります。心臓へ戻る血液量が減れば、脳への血流も減少し、立ちくらみが起きて安定した姿勢を保てなくなるのです。

入浴後の立ち上がり

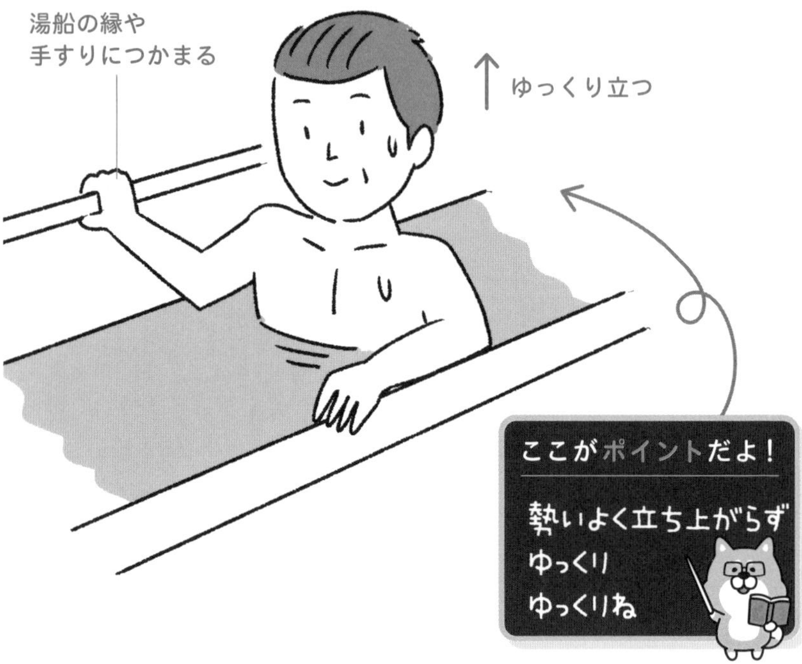
湯船の縁や
手すりにつかまる
ゆっくり立つ
ここがポイントだよ！
勢いよく立ち上がらず
ゆっくり
ゆっくりね

ポイント！

入浴後の立ち上がりで、立ちくらみを起こさないために効果的な方法は、ゆっくり立ち上がることです。それだけでも、立ちくらみの原因となる血圧の急変を抑えることができます。ゆっくり立ち上がるためには、浴槽の縁や手すりを支えにしましょう。

実践

①浴槽の縁や手すりに手が届く位置まで移動する。

②縁や手すりを支えにして、ゆっくり立ち上がる。

③腰を曲げて、頭を低くした姿勢でひざを伸ばしていき、ゆっくり上体を起こすと、立ちくらみを防ぐ効果は高まる。

これが
体にやさしい
浴槽からの出方
イイね!!
1
2
3

34

脱衣所・寝室での日常生活動作

ズボンを履く

立った姿勢でズボンを着脱するとき、脱ぐのに比べて履くのは非常に苦労します。一方の足だけでバランスを保つことが難しいからです。バランス能力や脚力が衰えた高齢者にとって、立った姿勢でズボンを履くことは、たいへん困難な作業となります。

なにげない
ズボンの着脱に
注意！
危険!! 放置が招く
病気や症状
よろける
転倒
転倒によるケガ
……など

誰でも歳とともに
脚力は低下
するものだよね
横揺れ
脚力の低下

なぜ

片足で立つときは、一方の足だけで体重を受けなければならないので、脚力は強くないといけません。また、片足で立つと体は横揺れを起こすので、それに対応するバランス能力も要求されます。ところが、高齢になると脚力は衰え、バランス能力も低下します。そのために、片足で立ってズボンを履くことができなくなってくるのです。

ズボンを履く

ここがポイントだよ！
腰を壁に当てればバランスがとれるよ
腰のあたりを壁につける

ポイント！

脚力を急に強くすることはできません。ところが、バランス能力の衰えを補って、片足で立つことは比較的容易にできます。腰のあたりを壁につけて片足で立つと、バランスよく片足で立てるようになります。

実践

①ズボンのウエスト部分を持つ。

②壁に腰のあたりを当てる。

③上体をゆっくり前に倒して、浮かしている足をズボンに通す。

④同様の方法で、反対の足もズボンを履く。

★一方の足で立ってズボンを履けない人は、イスに座ってズボンを履く。上体を前に倒すとき、腰の負担を軽くするために、できるだけ背を丸めないようにする。

これが
体にやさしい
ズボンの履き方
できるだけ
背を丸めない
イイね!!

35

脱衣所・寝室での日常生活動作

靴下を履く

若いころは立って靴下を履けた人も、高齢になるとできなくなりがちです。ふらついたり、ときには転倒したりすることもあります。

なにげない
靴下の履き方に
注意！
危険!! 放置が招く
病気や症状
ふらつく
転倒
転倒によるケガ
……など

靴下を立ったまま履くのは片足立ちになるから難しいよね
体が硬くなる
バランスが悪くなる
脚力が衰える

なぜ

歳を重ねるにつれて脚力が弱くなり、関節も硬くなってきます。そのために、片足でバランスを取りながら立つことが難しくなるのです。こうなっては、立って靴下を履くことはできません。

35

脱衣所・寝室での日常生活動作

靴下を履く

ここがポイントだよ！
イスに
座ったほうが
ずっと安全だよ
イスに座って
靴下を履く

ポイント！

靴下を立って履けない人は、イスやベッドなどに座って靴下を履きましょう。こうすれば、脚力の衰えや体の硬さを補って、自力で靴下を履くことができます。

実践

イスなどに座って靴下を履くとき、次のようにすると、いっそう楽に履けるようになります。

①イスやベッドに座る。

②両ひざを横に開く。

③両ひざの間に腕を入れて、上体を前に傾ける。

④靴下を履く。

これが
体にやさしい
靴下の履き方
両ひざの間に
手を入れる
ひざを開くと体
を前に倒しやす
いよ！
イイね!!

36

寝室での日常生活動作

眠る

眠るとき枕を利用する人は多いと思います。国立循環器病研究センターの研究チームは、枕の高さが高いほど脳卒中の発症につながるという研究を発表しました。脳卒中は脳の一部の働きを悪くし、それによって手足のしびれ、めまい、言葉や歩行の障害などを引き起こします。「寝心地がよい高さ」だけで、枕選びをするのは考え直さないといけません。

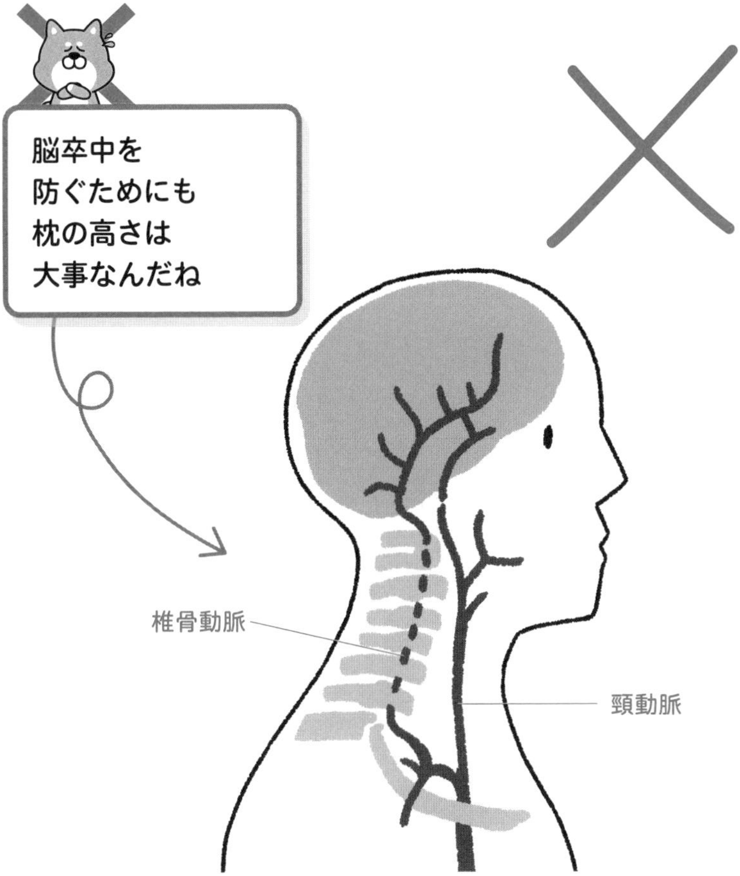

な?ぜ

首の骨の中を椎骨動脈《ついこつどうみゃく》という血管が通っています。この血管が裂けることは、脳卒中を発症させる原因の1つです。枕が高すぎると首に過度な負担がかかり、椎骨動脈が裂けて脳卒中を発症させることがあるのです。

眠る

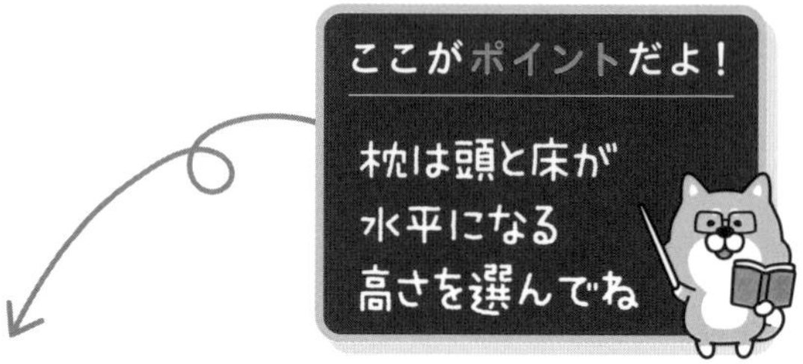
ここがポイントだよ！
枕は頭と床が
水平になる
高さを選んでね

【あお向き】

頭は床と水平

【横向き】

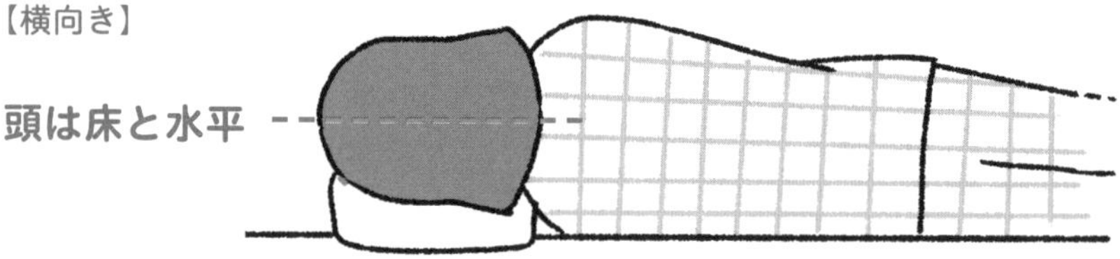
頭は床と水平

ポイント！

首に過度な負担をかけないためには、あお向きでも横向きでも、首と頭を結ぶ線が床と水平になるように、枕の高さを調整することがポイントです。

実践

①あお向きでも横向きでも、敷き布団から首までの高さが3 ～ 5㎝になる枕を用意する。

②寝返りのとき、首の負担が過度にならないように、掛け布団は保温性のよい軽いものを利用する。

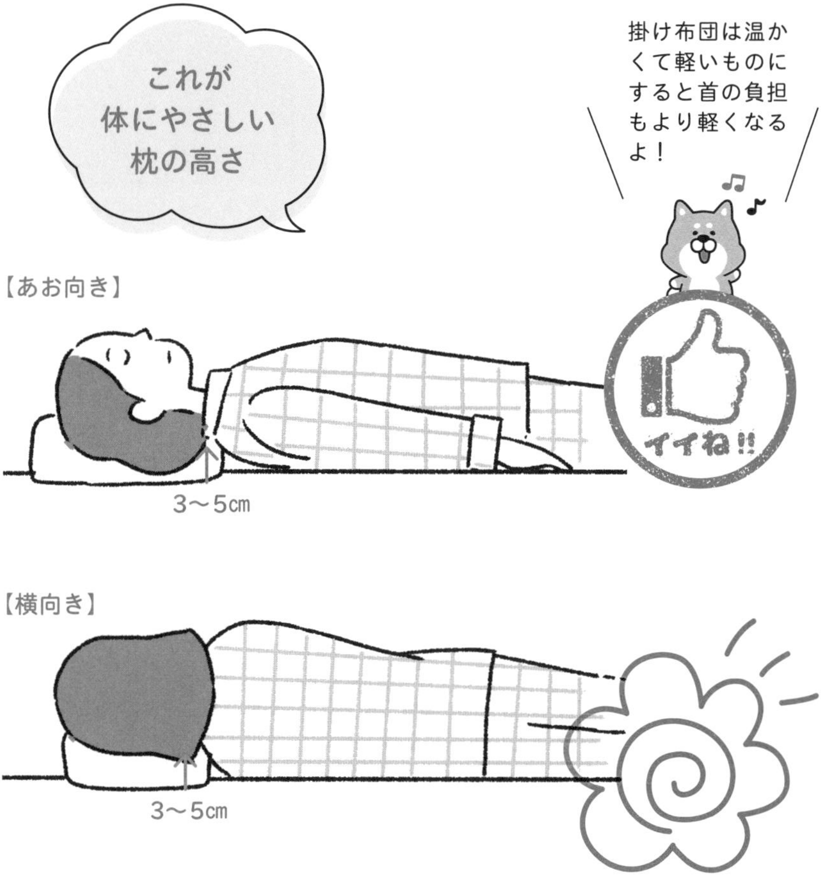
これが
体にやさしい
枕の高さ
掛け布団は温かくて軽いものにすると首の負担もより軽くなるよ！
【あお向き】
イイね!!
3～5㎝
【横向き】
3～5㎝

37

寝室での日常生活動作

入眠前の深呼吸

朝、目覚めたとき、頭がぼーっとした状態だと、一日中、活力を発揮できない気分になってしまいます。高齢になると、そんな日が増えてくるといった人も多いようです。

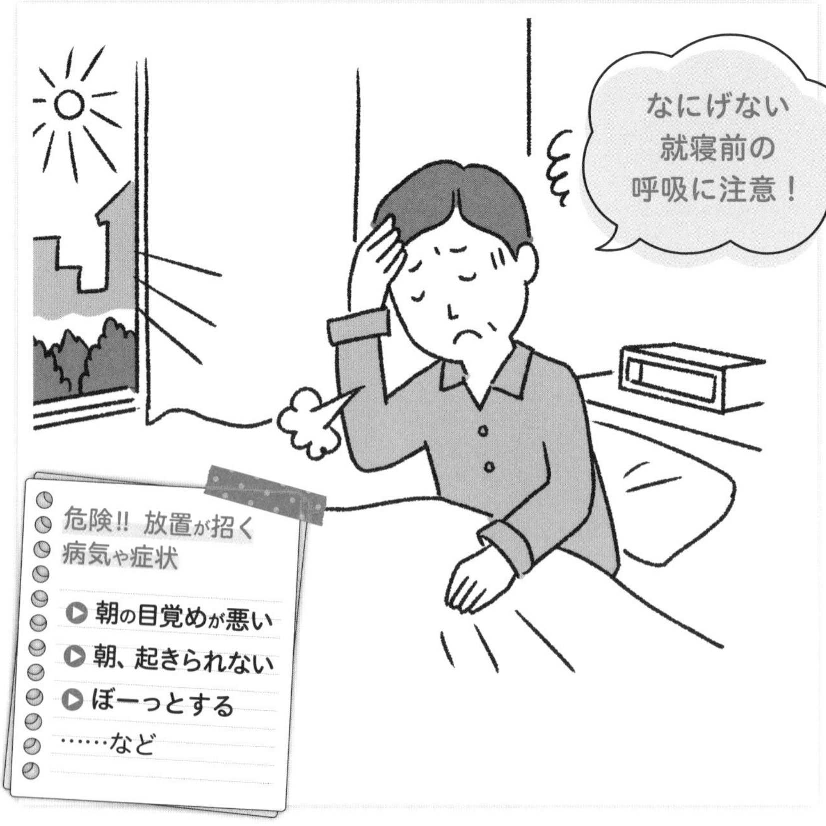

歳を重ねると
夜中に目が覚める
ことって多いよね

高齢者の睡眠の特徴

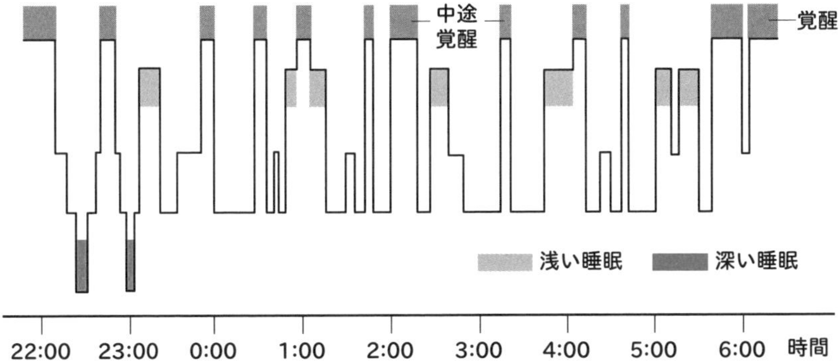
中途
覚醒
覚醒
浅い睡眠
深い睡眠
22:00
23:00
0:00
1:00
2:00
3:00
4:00
5:00
6:00
時間

＊厚生労働省「e-ヘルスネット［情報提供］」より

なぜ

高齢者の睡眠の主な特徴は2つあります。ノンレム睡眠（深い睡眠）が入眠して2時間ほどの間にしか起こらないことと、中途《ちゅうと》覚醒《かくせい》（睡眠の途中で目覚める）が頻繁に起こることです。このために、高齢者の睡眠の質は、よくないことが少なくありません。

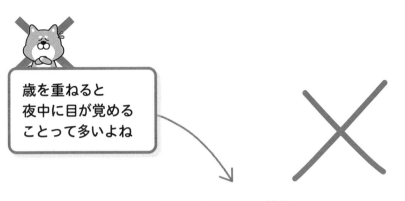

37

寝室での日常生活動作

入眠前の深呼吸

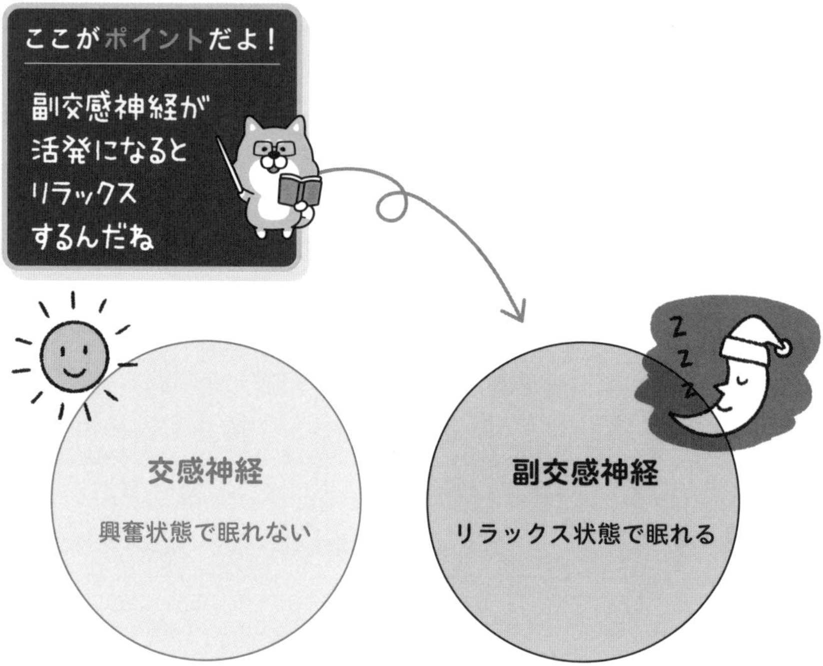
ここがポイントだよ！
副交感神経が
活発になると
リラックス
するんだね
交感神経
興奮状態で眠れない
副交感神経
リラックス状態で眠れる

ポイント！

入眠してすぐに起こるノンレム睡眠（深い睡眠）だけでも改善しましょう。そのためには、眠る前に交感神経（興奮状態を生み出す）の働きを弱め、副交感神経（リラックス状態を生み出す）の働きを高めることがポイントです。副交感神経が活発になると、入眠しやすくなります。

実践

①あお向けになる。

②両手のひらをお腹の上に静かに置く。

③副交感神経を優位に働かせる「腹式呼吸」を行う。

④鼻から空気を吸い、口から吐き出す。吐き出すときは、吸うときの2倍の時間をかける。

⑤腹式呼吸を行っているときは、呼吸に意識を集中する。

⑥眠気が生じるまで続ける。

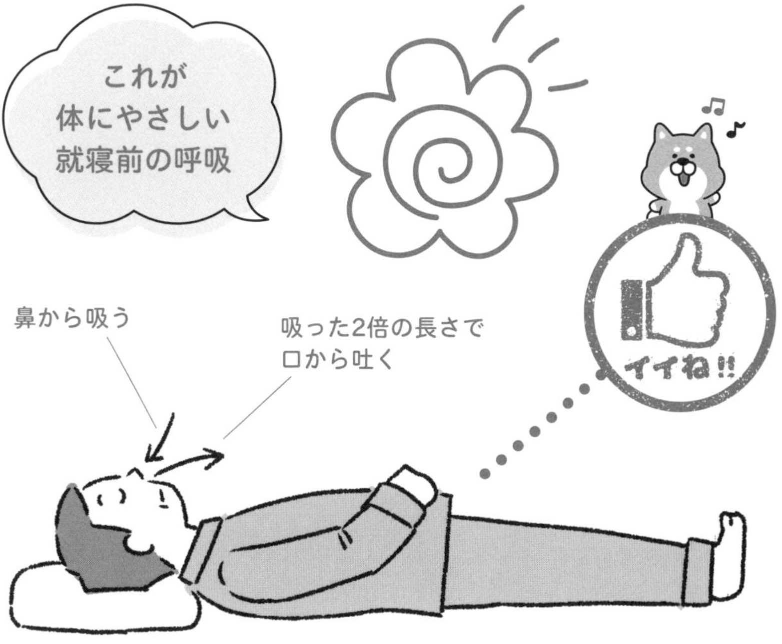
これが
体にやさしい
就寝前の呼吸
鼻から吸う
吸った2倍の長さで
口から吐く
イイね!!

38

寝室での日常生活動作

寝返り

朝、目覚めたときに、気分がすっきりしない、関節が痛い、筋肉がこっている、などと感じることはありませんか？ こういったことが起こる原因に「寝返り」が関係している場合があります。

なにげない
寝返りに注意！
危険!! 放置が招く
病気や症状
気分がすっきりしない
関節の痛み
肩・首・背中などのこり ……など

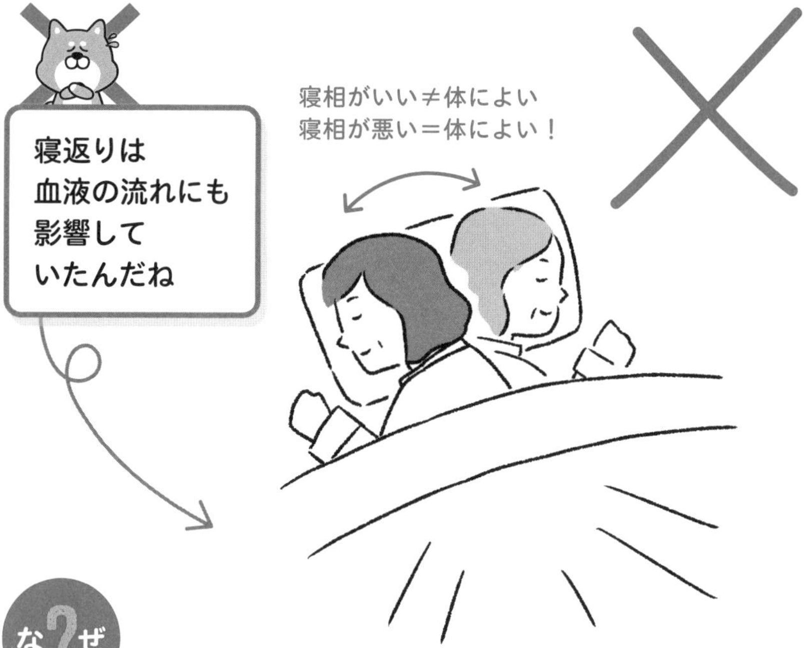
寝返りは
血液の流れにも
影響して
いたんだね
寝相がいい≠体によい
寝相が悪い＝体によい！

なぜ

寝返りには、睡眠効果を高める大切な役割があります。

- 同じ部分で体重を受けることがなくなり、体への負担をやわらげる。
- 同じ部分が圧迫され続けることがなくなり、血液の流れが悪くなることを防ぐ。
- 布団の中に空気の流れをつくり、布団の中の温度や湿度を眠りやすい状態に調節する。

寝返りをしないと、こういった役割が働かなくなり、熟睡を妨げることになるのです。

寝返り

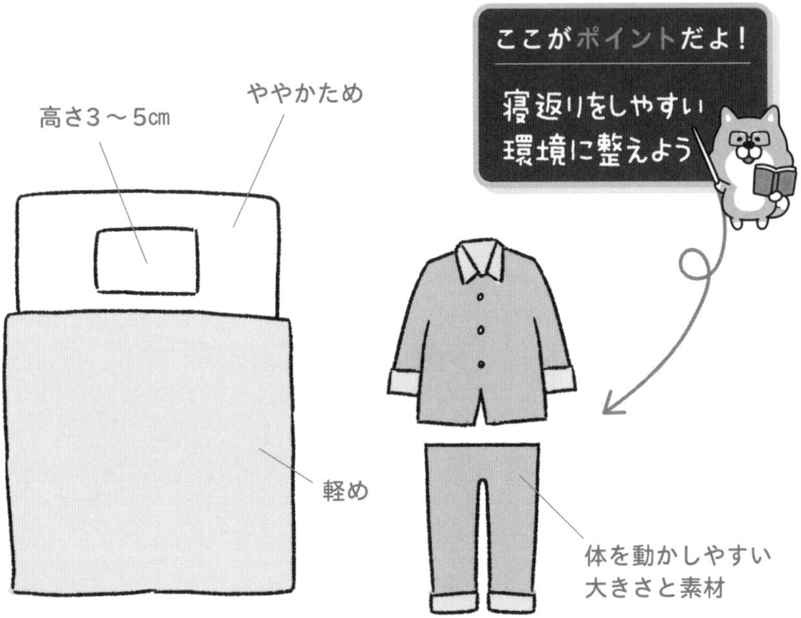
ここがポイントだよ！
寝返りをしやすい
環境に整えよう
ややかため
高さ3～5㎝
軽め
体を動かしやすい
大きさと素材

ポイント！

寝返りをしやすいパジャマ、枕、掛け布団、敷き布団（あるいはマットレス）を使用しましょう。主なポイントは以下の4つです。

- パジャマ：体を動かしやすい大きさと素材である。
- 枕：高さ3～5㎝を使用する。
- 掛け布団：保温性がよくて軽めのものを選ぶ。
- 敷き布団（マットレス）：かためのほうが寝返りをしやすい。

実践

①体を動かしやすい少し大きめのパジャマを着る。ただし、裾の長さは立ったときにつまずかないように調整する。

②高さ3～5㎝の枕を利用する。

③保温性がよくて軽い掛け布団をかける。掛け布団を重ねすぎないようにする。

④かための敷き布団（あるいはマットレス）を利用する。

これが
体にやさしい
睡眠環境
体が沈みすぎると寝返りがしづらいから、敷き布団は少しかためがいいよ！
イイね!!

39

寝室での日常生活動作

ベッドから起き上がる

歳を重ねると、若いころは楽に行えた動作ができなくなることがあります。たとえば、ベッドから起き上がるときに、腹筋運動のように上体を起こそうとしても、体がピクリともしないという方もいるでしょう。なんとか上体を起こそうとすれば、腰を傷めることにもなりかねません。

危険!! 放置が招く
病気や症状
腰痛
背中の痛み
……など
なにげない
起き上がり方に
注意！
痛い…！

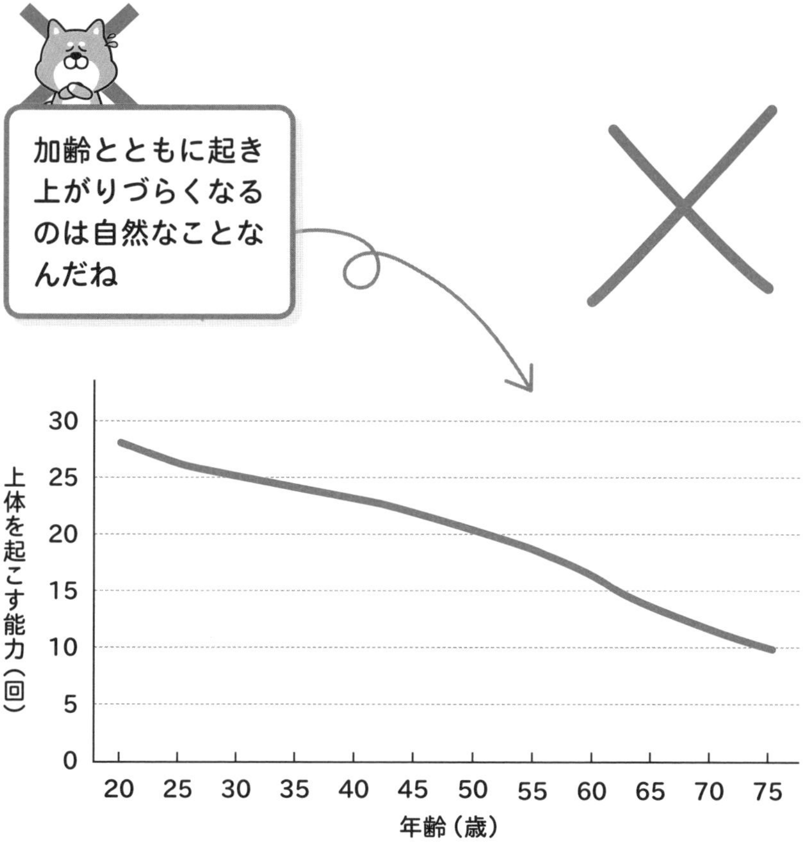
加齢とともに起き上がりづらくなるのは自然なことなんだね
30
25
20
15
10
5
0
上体を起こす能力（回）
20
25
30
35
40
45
50
55
60
65
70
75
年齢（歳）

＊スポーツ庁「体力・運動能力調査報告書」（2022年度）より

なぜ？

上体を起こす能力は、20歳をピークに、その後は衰えていきます。75歳の上体を起こす能力は、20歳のときの3分の1ほどです。これでは、上体を起こすことは簡単ではありません。

ベッドから起き上がる

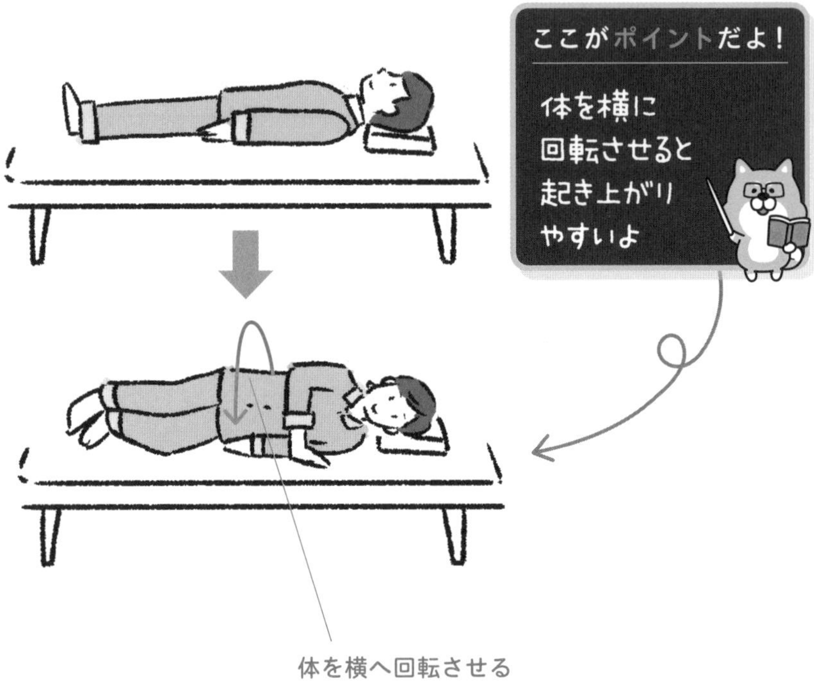
ここがポイントだよ！
体を横に
回転させると
起き上がり
やすいよ
体を横へ回転させる

ポイント！

上体を起こす能力が衰えた人がベッドから起き上がるには、上体を起こす動作の代わりに、体を横へ回転させることがポイントです。この動作によって、ベッドから楽に起き上がれるようになります。

これが体にやさしい起き上がり方

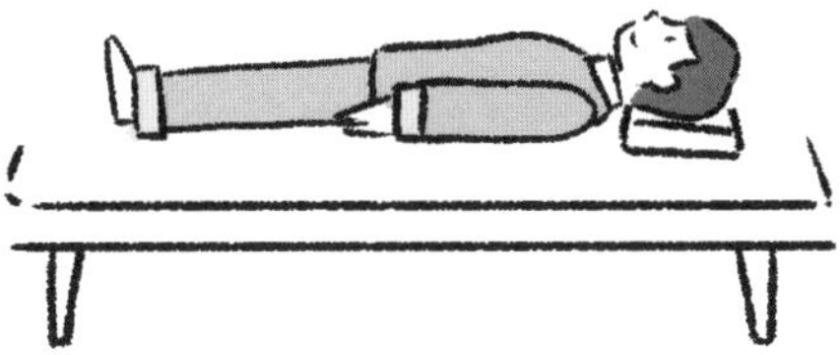

①あお向けになる。

②両ひざを立てる。

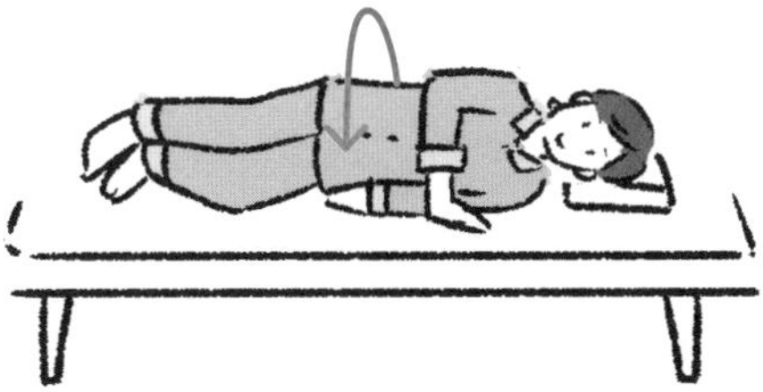

③ひざを曲げたまま体を横に回転する。

④両手でベッドを押して
体を起こす。

⑤ベッドに座った姿勢になって
から、ゆっくり立ち上がる。

40

寝室での日常生活動作

ベッドから下りる

ベッドからの転落事故は、すり傷、打撲、骨折、脱臼《だっきゅう》などを招くことがあり、たいへん危険です。とくに高齢者の場合、ベッドから下りるときに転落する危険性が高まります。

なにげない
ベッドの
下り方に注意！
危険!! 放置が招く
病気や症状
転倒・転落
すり傷・打撲
骨折・脱臼
……など
!!

足が床につかないと
安定性が
確保できないから
転倒しやすいんだね
足が床につかない
高さは危険
!!

なぜ

ベッドから下りようとしてベッドの端に座ったとき、足が床につかないとすべり落ちるようになり、転倒しやすくなってしまうのです。高齢になると、夜間のトイレの回数が増えるなど、たびたびベッドから下りることになり、転倒や転落の危険性が増します。

40

寝室での日常生活動作

ベッドから下りる

ここがポイントだよ！
ベッドに座って
足が床につくこと
が大事だよ
足が床にちゃんとつく

ポイント！

ベッドの端に座ったとき、足裏が床につく高さのベッドを利用することが最善です。使っているベッドが高い場合は、床に敷き布団などを敷いて高さを調節します。ベッド昇降用の踏み台を利用してもよいでしょう。

実践

①ベッドから下りるとき、ベッドの端に座り、足裏を床につける。

②足裏がしっかり床についたら、ゆっくり立ち上がる。

★より安全性を高めるために、次のこともお勧めします。
・ベッドガードを取り付けて、体の支えにする。
・ベッドのまわりに邪魔なものを置かない。
・足元灯を設置し、足元を照らす。

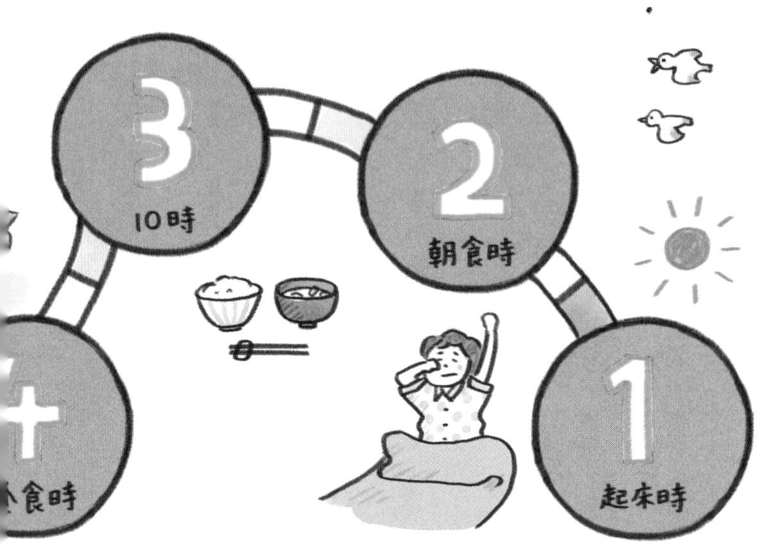

コラム4

一日7回の水分補給

体内の水分が減ると、減った量に応じてさまざまな症状が現れてきます。

体重の2パーセントの水分が体から失われると、のどの渇きや食欲不振に襲われます。6パーセント減ると、頭痛や脱力感が起きて情緒が不安定になってきます。10パーセントだと、筋肉の痙攣《けいれん》、循環不全、腎不全、意識喪失が起きます。20パーセントの水分を失うと、死に至ることがあります。わたしたちの体は、水分不足にきわめて弱くできていることがわかります。

ところで、困ったことに、高齢者の体は水分不足に陥りやすいのです。その原因は3つ考えられます。

1つ目は、高齢になるほど筋肉が減ることです。

体内でもっとも大量の水を貯蔵するのは筋肉です。筋肉が減れば体の中で蓄えられる水分も減ります。

２つ目は、高齢者は食事の量が少なくなることです。食物には水分が含まれています。摂取する食物が減れば、それだけ体内の水分も少なくなります。

３つ目は、高齢になると糖尿病などで利尿作用のある薬を飲む機会が増えます。尿量が増える分、体内の水分量は減ります。

水分不足になりやすい高齢者は、決められた時間に水分を補給する習慣を持つ必要があります。起床時、朝食時、10時、昼食時、15時、夕食時、寝る前の計7回、それぞれコップ1杯（２００ミリリットルほど）の飲み物を摂るようにしましょう。一日3回の食事も欠かさないようにするとよいでしょう。

41

寝室・廊下での日常生活動作

起床後のトイレ

朝、目覚めると、トイレに行くという人は多いでしょう。高齢者の場合、寝室からトイレへの移動中につまずいたり、すべったりして転倒する人は少なくありません。早朝の転倒は、高齢者によくみられる現象で注意が必要です。

なにげない
寝起きの
トイレに注意！
!!
危険!! 放置が招く
病気や症状
つまずく
転倒
転倒によるケガ
……など

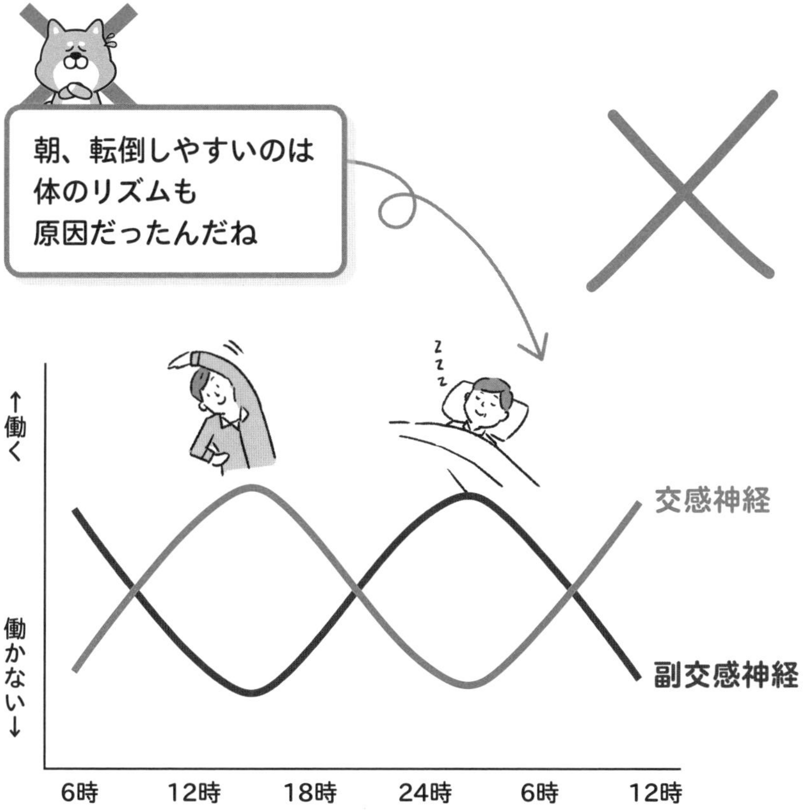
朝、転倒しやすいのは
体のリズムも
原因だったんだね
↑働く
働かない↓
交感神経
副交感神経
6時
12時
18時
24時
6時
12時

なぜ

心身の活動を活発にする交感神経と、休息に導く副交感神経は、一方が活発になればもう一方は不活発になるというように、リズミカルに働きます。深夜から早朝は、交感神経が活発に働かない時間帯です。そのために、体は思い通りに動かず、転倒が起きやすくなるのです。

起床後のトイレ

電気をつける
ここがポイントだよ！
寝床で手足を軽く動かしたり体を伸ばしたりしてから起き上がってね
手足を動かし体を伸ばす

ポイント！

寝ぼけまなこで立ち上がる前に、少しでも目覚めた状態にすることがポイントです。起き上がる前に室内灯をつけて、目覚めをうながしましょう。布団に入ったまま、手足を振動させたり、体を伸ばしたりします。それから、ゆっくりと起き上がり、トイレに向かいましょう。移動中は、転倒を防ぐ移動方法（次ページ参照）をとりましょう。

実践

①手は壁や手すりに当てたまま歩く。
②重心が少しでも低くなるように、ひざは軽く曲げて歩く。
③両足は骨盤の幅に開いて歩く。
④歩幅はふだんの半分くらいにする。

これが
体にやさしい
寝起きの歩き方
手を壁につける
ひざは軽く曲げる
両足は骨盤の幅くらい、
歩幅は狭めに
イイね!!

42

洗面所での日常生活動作

洗顔

上体を前に倒して蛇口から水を手で受けたあと、体を起こそうとすると、腰を伸ばせないことがあります。それは、腰への負担が大きい姿勢をとっているからです。背を丸めて上体を前に倒す洗顔の姿勢は、じつは腰に大きな負担をかけています。

なにげない
洗顔の姿勢に
注意！
!
危険!! 放置が招く
病気や症状
▶腰痛
▶背中の痛み
▶ひざの痛み
……など

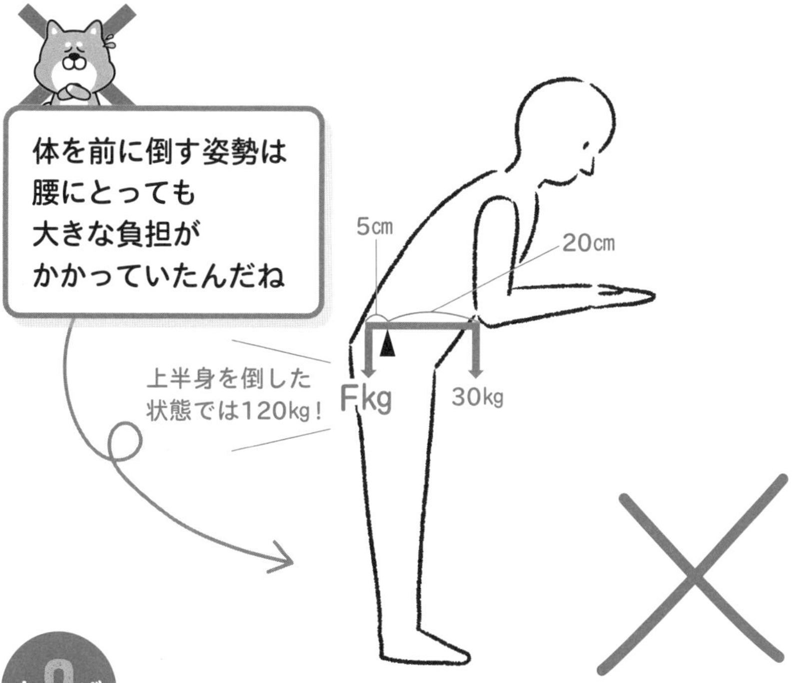
体を前に倒す姿勢は
腰にとっても
大きな負担が
かかっていたんだね
5㎝
20㎝
Fkg
30kg
上半身を倒した
状態では120kg！

なぜ

上の絵の「Fkg」は背中の筋肉が発揮する力、「5㎝」は背中の筋肉から腰椎《ようつい》までの距離、「20㎝」は腰椎から上半身の重さ（この場合は30kgとする）を受ける点までの距離を示します。「てこの原理」により、次の式が成り立ちます。

Fkg×5㎝＝30kg×20㎝

Fkg＝（30kg×20㎝）÷5㎝

Fkg＝120kg

すなわち、体を前に倒した姿勢では、上半身の重さの4倍の重さが腰にかかり、腰に大きな負担となっているのです。

42

洗面所での日常生活動作

洗顔

ここがポイントだよ！
ひざを曲げる
だけで
前傾を小さく
できるんだよ
ひざを曲げる

ポイント！

腰の負担を小さくするには、前ページの絵の「20㎝」の部分を短くするような姿勢になればよいのです。そのためには、上体の前傾をできるだけ小さくすることがポイントです。両ひざを曲げると、上体の前傾を小さくできます。

実践

①両ひざを曲げる。
②曲げた両ひざを洗面台に当てると、姿勢を安定させやすい。
③背をできるだけ丸めないで、上半身を前に倒す。
④立つ姿勢に戻るときは、ひざをゆっくり伸ばしながら上半身を起こしていく。

これが
体にやさしい
洗顔の姿勢
ひざを曲げて
洗面台に当てる
イイね!!

43

トイレでの日常生活動作

排便

高齢者は便が出にくくなる傾向にあります。無理に出そうとすると、血圧が急速に低下して失神する「排便ショック」を起こすことがあります。洋式トイレを利用する場合、便座に座りますが、このとき上半身を垂直に立てた姿勢をとっていると「排便ショック」を起こしやすくなってしまいます。

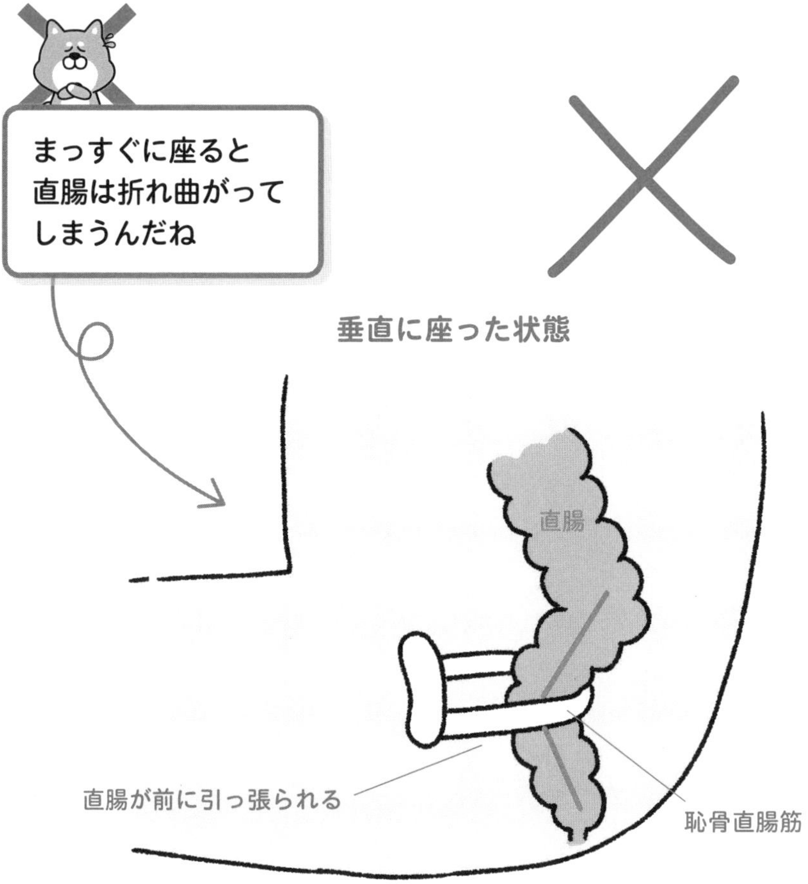
まっすぐに座ると
直腸は折れ曲がって
しまうんだね
垂直に座った状態
直腸
直腸が前に引っ張られる
恥骨直腸筋

な？ぜ

直腸は肛門の近くにあり、恥《ち》骨《こつ》直《ちょく》腸《ちょう》筋《きん》という筋肉が巻きついています。上半身を垂直に立てた姿勢のとき、恥骨直腸筋は直腸を前方へ引っ張るので、直腸は折れ曲がっています。すなわち、便が出にくい状態にあるのです。

排便

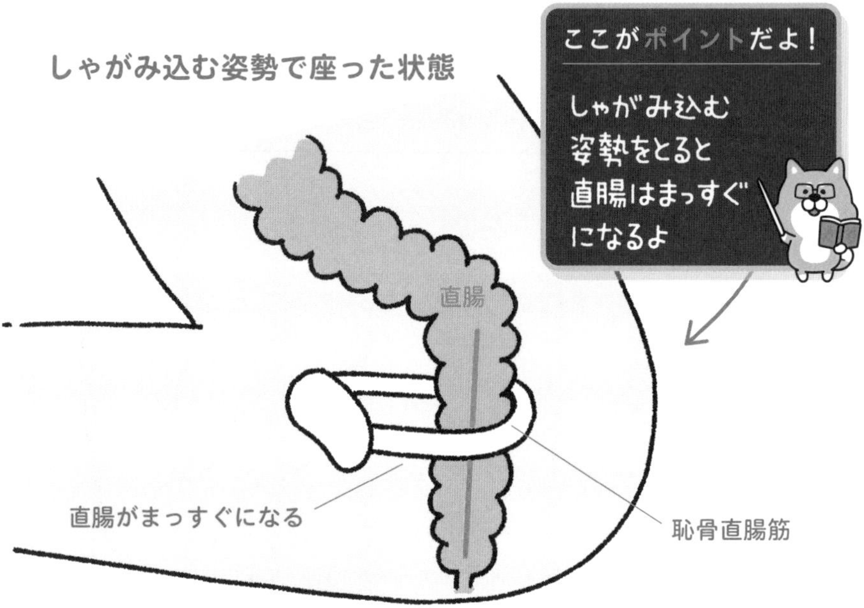
しゃがみ込む姿勢で座った状態
ここがポイントだよ！
しゃがみ込む
姿勢をとると
直腸はまっすぐ
になるよ
直腸
直腸がまっすぐになる
恥骨直腸筋

ポイント！

便を出しやすくするには、直腸をまっすぐにさせることがポイントです。そのためには、恥骨直腸筋が直腸を引っ張るのを緩めることが必要となります。恥骨直腸筋を緩めるのに効果的な方法は、和式トイレでしゃがみ込む姿勢をとることです。しかし、足腰が弱くなった高齢者には、これは好ましい姿勢ではありません。高齢者は、洋式トイレの便座に座って、しゃがみ込む姿勢をとるとよいでしょう。

実践

①高さ20㎝ほどの台を用意する。
②両足を台にのせて便座に座る。
③上半身を前に傾ける（ひじが太ももに触れる程度）。

これが
体にやさしい
排便の姿勢
ひじが太ももに
触れる程度に前傾
20㎝程度の台
このポーズだと
便が出やすくな
るよ！
イイね!!

コラム5
COLUMN

人生100年時代の老後の過ごし方

ドイツ生まれの作家ヘルマン・ヘッセは、穏やかな人間の生き方を描いた作品を数多く発表しました。その中には、人生100年時代の老後の過ごし方について、貴重なヒントを与えてくれるものがあります。たとえば、『人は成熟するにつれて若くなる』(草思社)という作品です。

この中でヘッセは、次のように述べています。

「過ぎ去ったことにこだわったり、それを模倣したりすることが私たちにとって重要なのではなく、変化に対応できる能力をもって新しいことを体験し、力をつくしてそれに参加することが必要であろう」

歳をとるにつれて変化を求めなくなり、いつも同じことを繰り返しがちです。これが、脳の老化

を早める１つの原因だといわれています。心身ともに元気な老後を過ごすには、ヘルマン・ヘッセが提言しているように、勇気をもって新しいことを体験し、全力で取り組んでみることも大切だと思います。

人生１００年時代では、老後の期間は長くなります。その分、働く、学ぶ、奉仕する、遊ぶ、旅に出るなどの機会を増やすことができます。ヘッセの教えに勇気をもらい、時間が豊かになった老後を利用して、新しいことに取り組んでみるのは、素敵な老い方ではないでしょうか。

わたしたちには、その気になれば、死が訪れるまで、本心からやりたいことに取り組むことができる自由があります。〝老い〟を理由に、その自由を放棄するのはもったいないような気がします。

日常生活動作
○《マル》×《バツ》クイズ

日常生活動作は
どのくらい身についたかな？
正解は各ページを見てね。

Q1 薬を飲むときは、飲みやすいように上を向いたほうがよい。

○ × （正解は 78 ページ）

Q2 雑巾は、縦に持って絞るほうが強い力が出る。

○ × （正解は 86 ページ）

Q3 枕は、寝心地のいい高さを選べばよい。

○ × （正解は 166 ページ）

Q4 洗面所では、ひざを伸ばして洗顔するほうがよい。

○ × （正解は 192 ページ）

Q5 トイレでは、やや前傾姿勢で座ると便が出やすい。

○ × （正解は 196 ページ）

第2章

「日常生活動作の自立」を維持するためのエクササイズ

なにげない日常生活の動作も、スムーズに行うためには、じつは体力の維持が欠かせません。手軽にさっとできて、なおかつ体力維持につながるエクササイズを厳選しました。

体力維持に必要なのは 3種のエクササイズ

日常生活を送るために必要な動作は、介護や支援がなくても自力で行えることが望まれます。高齢者がその望みを叶えるには、日常生活動作を自力で行える体力を維持することが必要です。

体力の維持は、「エクササイズ」を行うことを習慣にすることでもたらされます。エクササイズとは、体力や健康の維持増進を目的とした運動全般のことです。

「日常生活動作の自立」のために、とくに重要なエクササイズは、「筋肉のエクササイズ」、「関節のエクササイズ」、「循環のエクササイズ」の3種類です。

「日常生活動作の自立」のための3種のエクササイズ

この3種類のエクササイズを
まんべんなく取り入れようね！

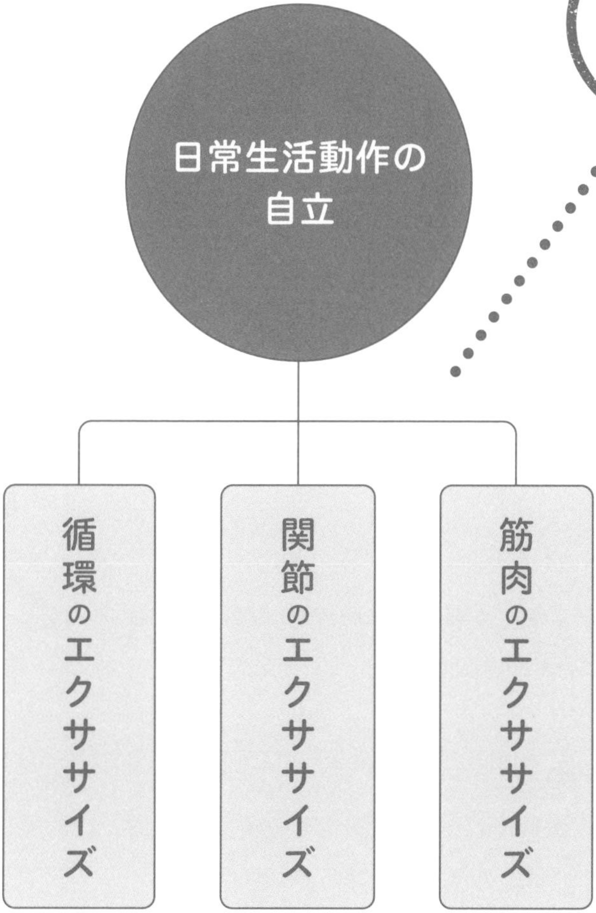

筋肉のエクササイズ

日常生活動作は、体を動かすことで生み出されます。体を動かす原動力となるのが「筋肉」です。

600を超える筋肉の中で、「日常生活動作の自立」のために、とくに重要な働きをするのは、「腸腰筋《ちょうようきん》」と「大腿四頭筋《だいたいしとうきん》」です。

腸腰筋は、大腰筋《だいようきん》と腸骨筋《ちょうこつきん》の2つを合わせたもので、上半身と下半身をつないで姿勢を安定させます。

大腿四頭筋は、「立つ」「歩く」ために働きます。

効果

「筋肉のエクササイズ」は筋力を強くし、体を楽に動かす効果をもたらしてくれます。

なにをやる？

このエクササイズを行う日は、腸腰筋と大腿四頭筋の2つのエクササイズを行いましょう。

いつやる？

タイミングは、効果がもっとも出やすい正午から夕方の間が最適です。頻度の目安は、週に3～ 5日です。

「日常生活動作の自立」のために重要な筋肉

ここがポイントだよ！
筋肉の
エクサ サイズは
昼間にやると
いいよ！

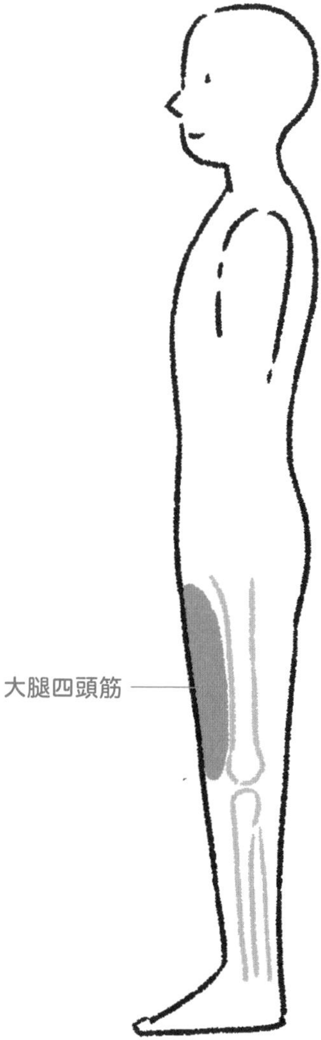
大腿四頭筋

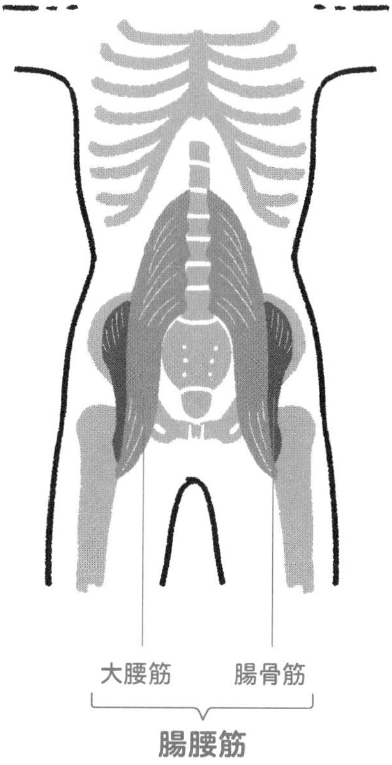
大腰筋
腸骨筋
腸腰筋

筋肉のエクササイズ①

腸腰筋のエクササイズ

①手のひらを下にして、両手を重ねる。

②重ねたまま両手を一方のひざの上に置く。

③手を置いた側の足を床から10㎝ほど上げる。

④足を宙に浮かせたまま、両手と足を全力で7秒間押し続ける。

⑤もう一方の足で、同じエクササイズを繰り返す。

⑥左右それぞれ1 ～ 3回行う。

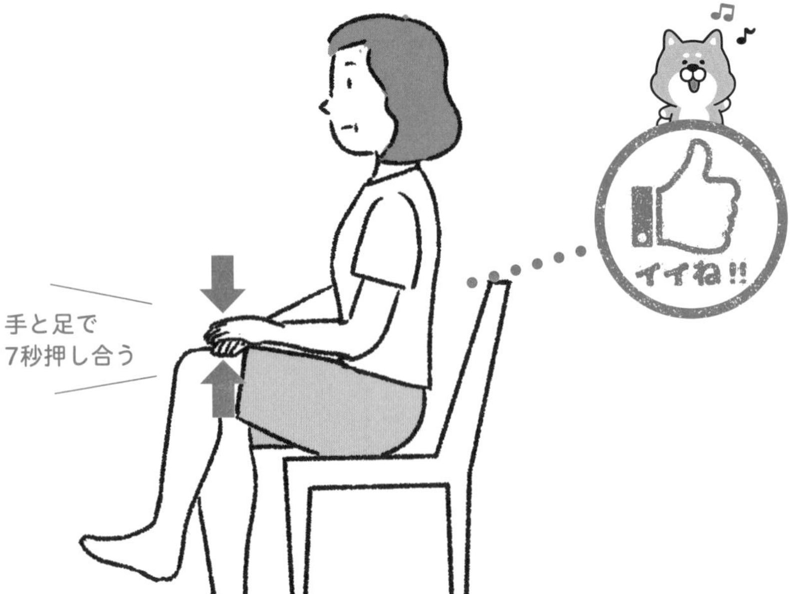

筋肉のエクササイズ❷

大腿四頭筋のエクササイズ

①足首の部分で両足を交差して重ねる。

②足は床につけても宙に浮かしてもよい。

③重ねた部分で、両足を全力で7秒間押し続ける。これを1～3回行う。

④前後の足を入れ替えて、同じエクササイズを繰り返す。

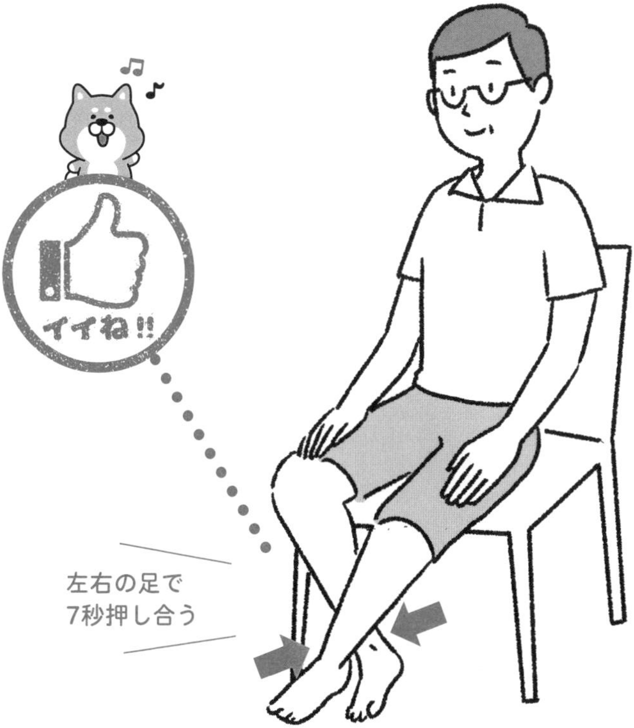

関節のエクササイズ

関節は、骨と骨がつながった部分です。関節をつくっている骨には、筋肉がついています。筋肉が収縮すると、関節を中心に骨が動きます。こういった骨の動きが、日常生活動作を生み出します。**関節の動きが悪い、あるいは関節がほとんど動かない場合には、思い通りに日常生活動作を行うことはできません。**

日常生活動作を自力で行うには、①首、②肩、③ひじ、④手首、⑤手の指、⑥腰、⑦ひざ、⑧足首、⑨足の指の関節が滑らかに動くことが必要です。

効果

「関節のエクササイズ」は筋肉や腱《けん》を伸びやすくさせ、関節が大きく動くような効果をもたらしてくれます。

なにをやる？

週に1～3日、9つの関節のエクササイズ（首、肩、ひじ、手首、手の指、腰、ひざ、足首、足の指）の中から、日によって3～4つ選んで行いましょう。

いつやる？

筋肉や腱が伸びやすくなる入浴後が最適です。

「日常生活動作の自立」に必要な主な関節

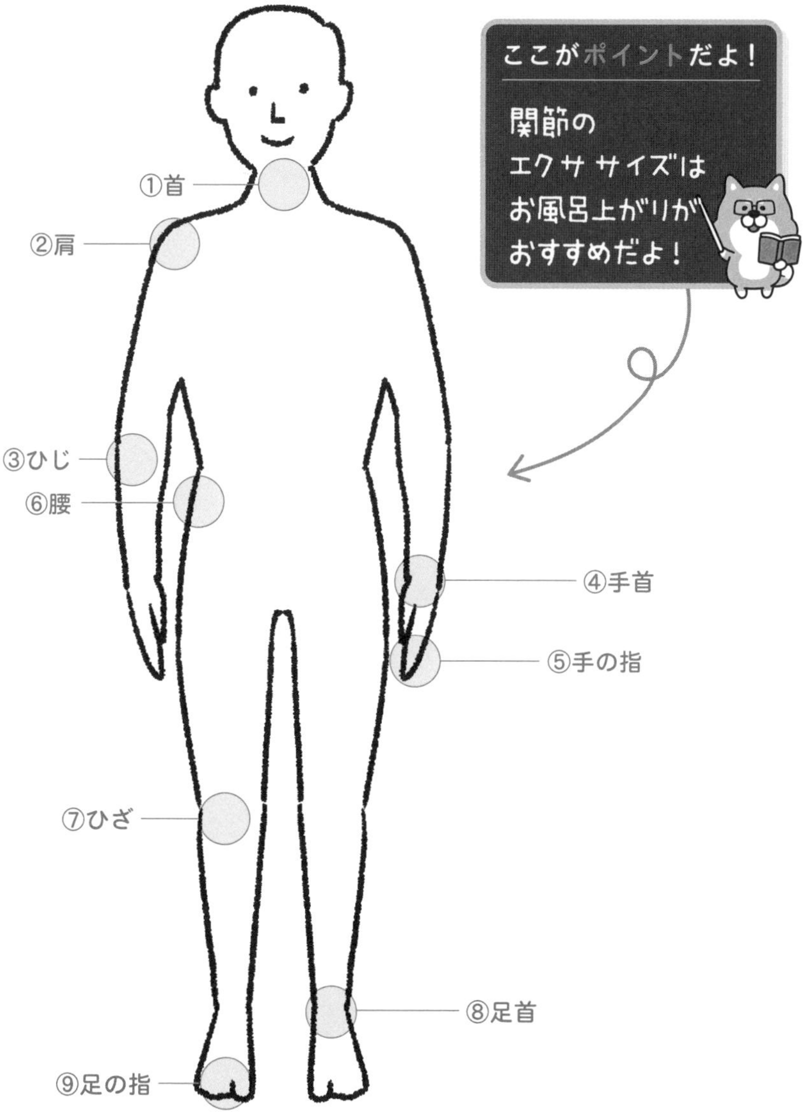
ここがポイントだよ！
関節の
エクサ サイズは
お風呂上がりが
おすすめだよ！
①首
②肩
③ひじ
⑥腰
④手首
⑤手の指
⑦ひざ
⑧足首
⑨足の指

関節のエクササイズ①

「首の関節」のエクササイズ

①頭を垂直に立てる。

②頭を前に倒しながら、ゆっくり左回転させる。

③頭が正面に来たら、ゆっくり右回転させる。

④左右それぞれの回転を3回行う。

関節のエクササイズ②

「肩の関節」のエクササイズ

①手の指を、それぞれの側の肩に置く。

②手の指を肩につけたまま、ひじを前にゆっくり3回転させる。

③次に、ひじを後ろへゆっくり3回転させる。

関節のエクササイズ③

「ひじの関節」のエクササイズ

①両手の指を組み、肩の高さで腕を前に伸ばす。

②両手の指を組んだまま、ひじをいっぱい曲げる。

③次に、ひじをいっぱい伸ばす。

④②と③のひじの曲げ伸ばしを5回繰り返す。

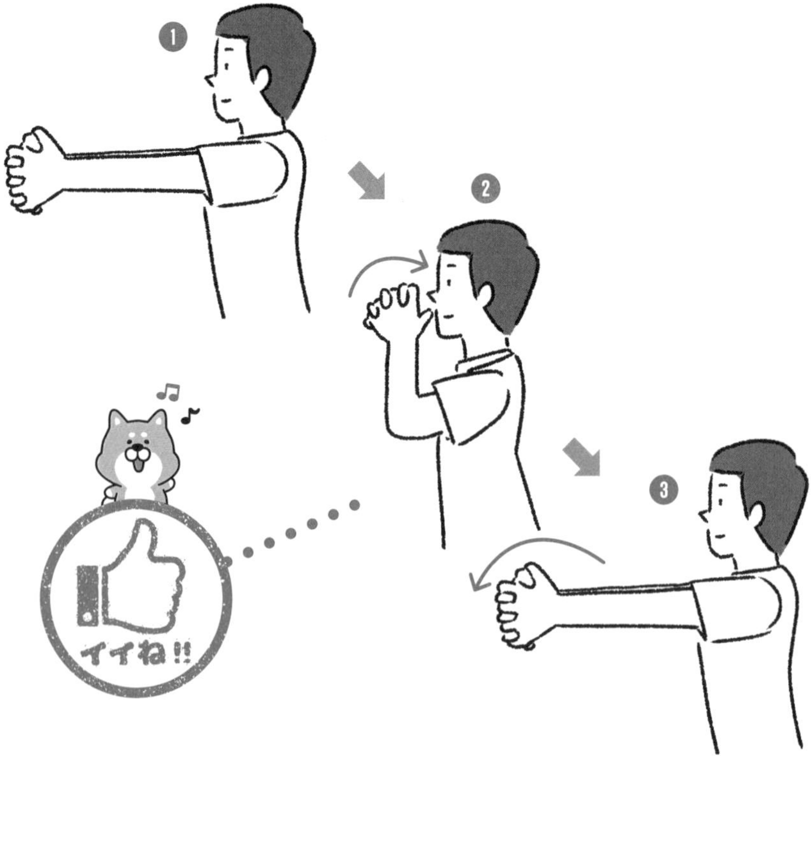

関節のエクササイズ④

「手首の関節」のエクササイズ

①両腕を肩の高さで体の前に伸ばす。

②手のひらが自分のほうに向くように手首を曲げる。

③次に、手の甲が自分のほうに向くように手首を曲げる。

④②と③を連続して5回繰り返す。

関節のエクササイズ⑤

「手の指の関節」のエクササイズ

①両手を強く握って「グー」をつくる。このとき、親指を傷めないように外に出す。

②両手をいっぱいに開いて「パー」をつくる。

③「グー」と「パー」を10回繰り返す。

グー

パー

関節のエクササイズ⑥

「腰の関節」のエクササイズ

①両手で座面の横を持ち、安定した姿勢でイスに座る。

②一方のひざをできるだけ高く上げる。

③上げた足を下げる。

④反対側の足で同じ運動を行う。

⑤左右交互にそれぞれ5回行う。

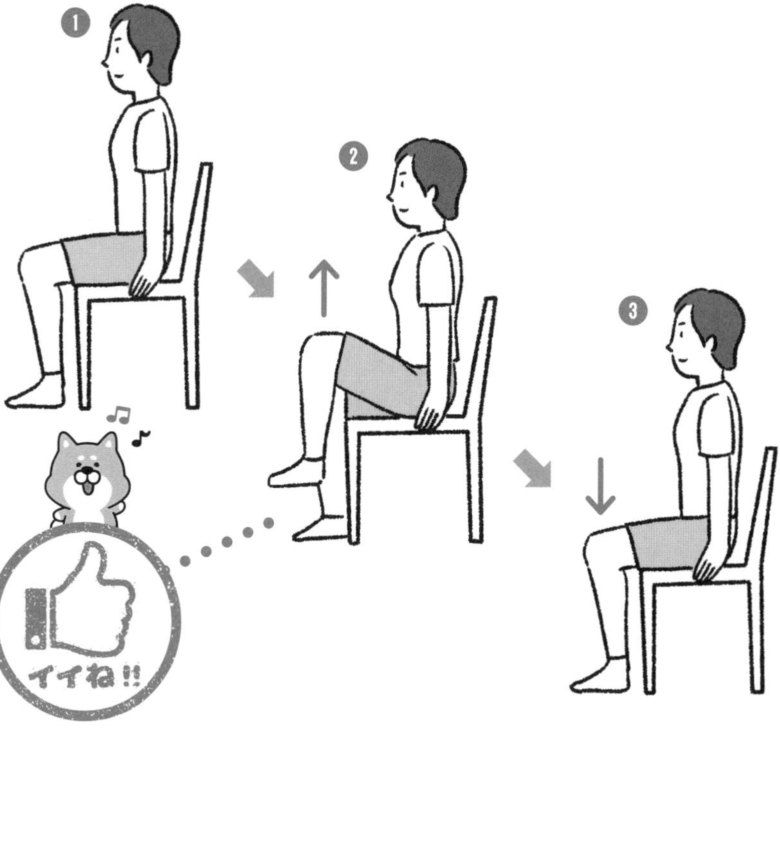

関節のエクササイズ⑦

「ひざの関節」のエクササイズ

①両手で座面の横を持ってイスに座り、一方のひざを軽く伸ばして足を宙に浮かせる。

②宙に浮かした側のひざをいっぱい伸ばす。

③足を宙に浮かせたまま、ひざの曲げ伸ばしを5回繰り返す。

④反対側で同じエクササイズを行う。

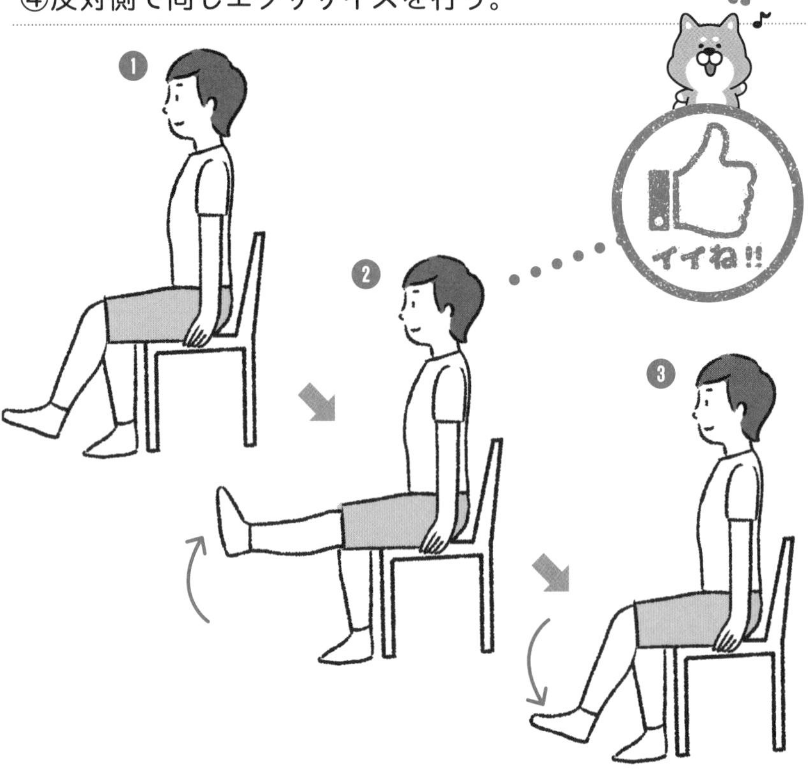

関節のエクササイズ⑧

「足首の関節」のエクササイズ

①両手を太ももの上に置いてイスに座る。

②かかとを床につけたまま、両方のつま先を上げる。

③つま先を床につけて、かかとを上げる。

④②と③を連続して10回繰り返す。

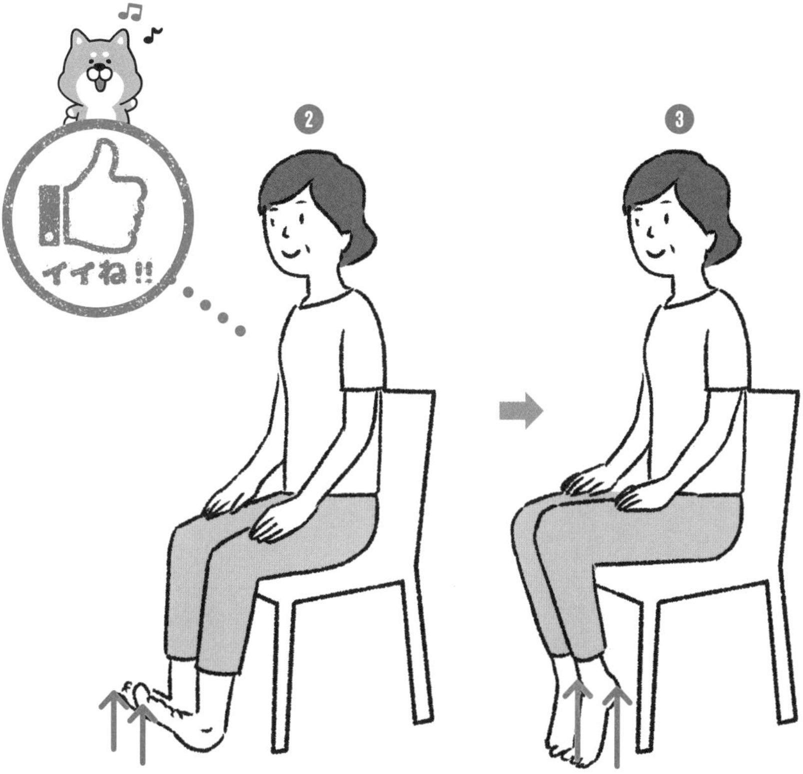

関節のエクササイズ⑨

「足の指の関節」のエクササイズ

①両足の指を折り曲げて「グー」をつくる。

②両足の指をいっぱい開いて「パー」をつくる。

③足の指での「グー」と「パー」を10回繰り返す。

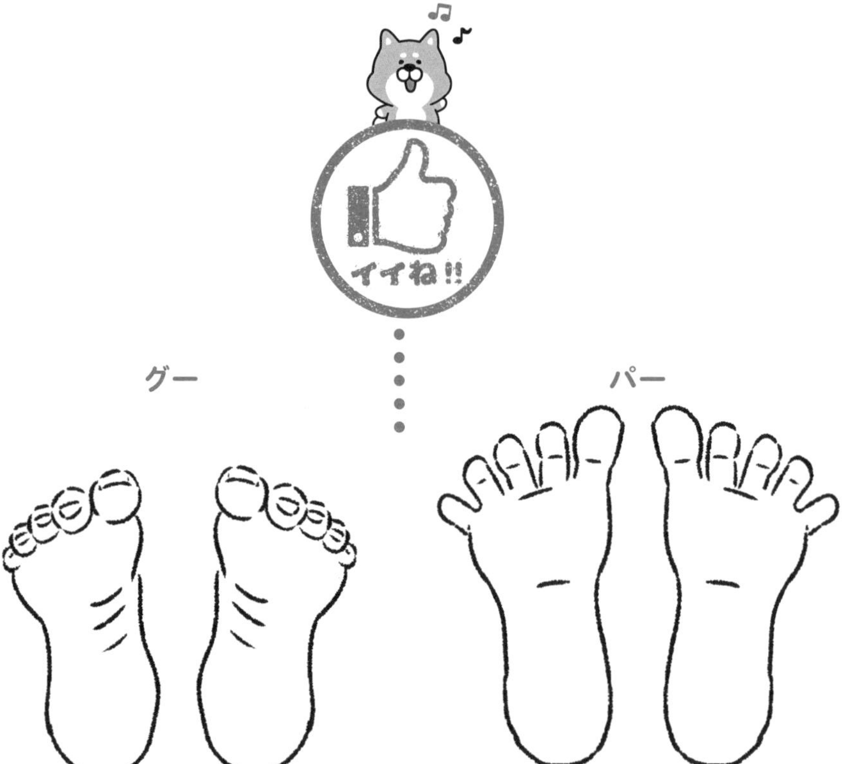

循環のエクササイズ

日常生活動作は体を動かすので、酸素と栄養が必要です。体のすみずみまで酸素や栄養を運ぶ働き（循環）が衰えると、自力で日常生活動作を行うことが困難になります。**循環の働きを良好な状態に保つには、酸素をたっぷり取り入れながら全身を動かすウォーキングを行いましょう。**このような十分に酸素を取り入れて行う運動を「有酸素運動」といい、ジョギングや水中ウォーキング、水泳、エアロビクス、ダンス、日舞なども当てはまります。好みの運動があればそれを行いましょう。

効果

「循環のエクササイズ」は血液循環を活発にさせ、疲れないで長時間、体を動かすことができるような効果をもたらしてくれます。

なにをやる？

ウォーキングなどの有酸素運動を行いましょう。

いつやる？

タイミングは食事を終えて30分ほど休んだあとが最適です。週に3～5日、できれば毎日行うようにしましょう。

循環の働きを良好な状態に保つ主な「有酸素運動」

ここがポイントだよ！

循環のエクササイズは
食後30分以降に
やるといいよ！
朝食・昼食・夕食の
いずれかのあとに
やってね！

循環のエクササイズ

ウォーキング

高齢者には、もっとも手軽でありながら、運動効果と安全性の高いウォーキングを行うことをお勧めします。ウォーキングでもっとも重要なことは、腕の振り方や足の動かし方を気にしすぎないで、全身を前へ移動させることを意識することです。1日6000 歩以上を目安に、週に3 ～ 5 日、ウォーキングを行うようにしましょう。

1日6000 歩以上

【著者略歴】

湯浅景元（ゆあさ・かげもと）

1947年名古屋市生まれ。中京大学名誉教授。日本体育学会名誉会員。
中京大学体育学部卒業、東京教育大学大学院体育学研究科修了後、東京医科大学で学ぶ。体育学修士、医学博士。
中京大学体育学部長や中京大学スケート部部長などを歴任。長年、スポーツ選手の動作解析・研究・指導に従事。ハンマー投げの室伏広治氏やフィギュアスケートの浅田真央氏など多くのスポーツ選手の育成にあたった。また大学で教える傍ら、研究成果を生かして誰にでも実践できる健康法の指導でも活躍。現在、スポーツコーチングと医療分野との懸け橋としての役割にも取り組む。テレビ・ラジオ出演、講演会多数。著書に、『いつでもできる 簡単エクササイズ』（岩波書店）、『生涯寝たきりにならないためのピンピンコロリ体操』（世界文化社）、『「自立できる体」をつくる 人生100年時代のエクササイズ入門』（平凡社新書）ほか多数。

カバー・本文デザイン　若松隆
イラスト　岡本倫幸、にしごりるみ
編集　小野眞由子

家《か》庭《てい》内《ない》事《じ》故《こ》死《し》を防《ふせ》ぐ
図解でわかる 日《に》常《ちじょう》生《せい》活《かつ》動《どう》作《さ》事《じ》典《てん》

初版第一刷　2024年 6月30日

著　者　湯浅景元
発行者　小宮英行
発行所　株式会社 徳間書店
〒141−8202　東京都品川区上大崎3-1-1 目黒セントラルスクエア
電話　【編集】03-5403-4344／【販売】049-293-5521
振替　00140-0-44392

印刷・製本　株式会社広済堂ネクスト

ISBN978-4-19-865851-9
乱丁、落丁はお取替えいたします。